文春文庫

そして生活はつづく

星野　源

文藝春秋

そして生活はつづく◉目次

料金支払いはつづく 8
生活はつづく 20
連載はつづく 31
子育てはつづく 41
貧乏ゆすりはつづく 52
箸選びはつづく 61
部屋探しはつづく 71
ビシャビシャはつづく 82
ばかはつづく 92
はらいたはつづく 102
おじいちゃんはつづく 111
口内炎はつづく 123

舞台はつづく 134
眼鏡はつづく 144

ほんとうにあった鼠シリーズ
「はたち」漫画…小田扉　原作…星野源 155

ひとりはつづく 164

文庫版特別対談
「く…そして生活はつづく」星野源×きたろう 187

単行本版あとがき 198
文庫版あとがき 202

ブックデザイン　大久保明子
イラストレーション　北村人

そして生活はつづく

料金支払いはつづく

仕事から帰ってくる。

携帯電話料金の支払い請求書をポストの中に見つける。

「払わなきゃ」と反射的に思うが、仕事の都合上帰宅時間はいつも遅く、今日も既に夜中の十二時を回ってしまっている。

この時間で支払えるとしたらコンビニくらいだろう。しかし今から行くのもめんどくさい、というか既に買い物を済ませてきてしまったので、もう一度出向くのもおっくうである。

とりあえず部屋に入り請求書を適当な場所、たとえば床に積んである買ったばかりでまだ読んでいない本の上にポンと置き「明日払おう」と心に決める。

翌日出勤前に思い出して請求書を探すのだが、全く見つからない。本の上に置いたはずのものはこつ然と姿を消し、代わりになぜか友達にもらったマイケル・ジャクソンのメンコが置いてあったりする。

焦って様々な場所をひっくり返してみるのだがどこを探しても見つからず、神隠し的なものを想像してビクビクするも、いつの間にか家を出なければいけない時間になってしまい、後ろ髪引かれながら慌てて仕事に出かける。

夜になり、仕事を終えて家に帰ってくる。

帰り道にコンビニで買った夕飯をベッドに置き、一息ついてなんとなく鞄を開けると、見つけやすいように本の上に置いたはずの請求書が鞄の奥のほうでくしゃくしゃになった状態で入っていることに気づく。

ふと昨夜のことが蘇ってくる。

そうだ、そういえば寝る直前に「どうせ明日外出するんだから鞄の中に入れておこう」と、半分寝ぼけながら自分で鞄にしまったんだった。代わりにあったマイケル・ジャクソンのメンコの意味はわからないが、きっと自分で無自覚に置いたんだろう。それを忘れて私は出勤前に「ない、ない」と必死になって探していたのか。そしてまた私はなぜそれを帰宅してから気づいちゃうのだ。仕事先で気づいたものなら帰る途中のコンビニで支払えたはずなのに。ああ、もう。後悔と自己嫌悪でなんだか眠くなってきたので、支払いはまた今度。

ということがよくある。

しかも、こういうことを何日も繰り返した挙げ句に払わなきゃいけないこと自体をすっかり忘れてしまい、支払い滞納通知書と再請求書の二つの能力を兼ね備えたハガキが届くまで全然気づかず、それを見て慌ててコンビニに走ってやっと料金を支払うも、一ヶ月後に元々あった請求書を見つけてしまって、記憶力の弱い私は「あれ、これ払ったっけ?」とわからなくなり悩んでいると、なぜか三ヶ月も前に送られてきた別の請求書が出てきたりして、ふと「もしこれが既に再請求書のハガキで払っている月の請求で、今さら払って過剰振込になったりしたらすごく損だ」などという思いが沸き上がり、最終的にはもうどうしたらいいのかわからないので「今度でいいか」と請求書群をほっぽり出して寝てしまったりする。

そういった理由で、私はいつも携帯電話の料金を支払うことができないのである。

「そういうの残念な人って言うんですよ、星野さん」

Kがナポリタンを食べながら言う。

ここは喫茶店である。仕事仲間のKと、ある企画の打ち合わせ中だ。打ち合わせの最中に食事をするのは失礼かなと思い、私はここに来る前にちゃんと食事を済ませてきたのに、Kは堂々とナポリタンを食っている。相手がモリモリと食事をしているんじゃ仕事の話もうまく進まない。そこで私は軽い笑い話として先ほどの料金未払いの件を自嘲する形で話したというわけだ。

「残念な人？」

「外側はしっかりしてるのに内側がダメな人のことです。仕事はキッチリやるのに、身の回りの生活が全然できないっていう残念な人」

残念な人か。なんだか落ち込む言葉だけど確かにその通りかもしれない。仕事は熱中してやるタイプだけど、私生活のほうはかなりダラっとしている。身の回りのことは苦手というか、退屈なのでいつも後回しにしがちである。

「いやあ、前からね（クチャクチャ）ちょっと思ってたんですよね（クチャクチャ）星野さんって、実はダメ人間なんじゃないかなあって（ペ）」

おい、いま口からぺってなんか出たぞ。

……ピーマン？　ピーマンだ。ナポリタンに入っているピーマンが口からこっちに向かって飛んできたぞ。くそ、馬鹿にしやがって。ピーマンを無自覚に飛ばしてしまう奴にダメ人間と言われて黙っているほど、私はお人好しじゃない。

「ちょっと、口は閉じて食べたほうが……」

そう言うや否や、Kはピタッと食べるのをやめて言った。

「ダメ人間に言われたくないですよね」

Kはまたクチャクチャ音を立てながらナポリタンを食べ始めた。

ダメ人間って……くやしいなあ。なんでそんなこと言うんだろう。しかし返す言葉が見つからない。ああ、この口下手め。この口の下手さもダメ人間たる所以《ゆえん》か。

「あ、でも星野さん。口座振替にすればいいじゃないですか」

「え？」

「銀行口座から、自動的に携帯電話の料金が引き落とされるように契約すればいいんです。毎月コンビニ行って支払う面倒がなくなりますよ」

んふー。

私はやれやれ、という顔で鼻からため息をついた。口座振替。私は昔からこのシステムを忌み嫌っている。

私はお金が好きだ。そう言うと貯金ばかりしている強欲な人間に見えるかもしれないが、それはちょっと違う。私はお金を貯めることよりも、使うことが好きなのだ。

たとえば外食時、定食屋さんでとても美味しいご飯を食べたとする。私の場合そこでただ食べて終わりではなく、食べた後にお金を払うまでが外食だ。「お家に帰るまでが遠足」であるのと同様に、「お金を払って店を出るまで」が、私にとっての外食なのである。

良いものと引き換えにお金を払う。それはとても人間的で素敵な行為だと思う。美味しいご飯を作ってくれた人には、満足させてくれた分だけしっかりとお金を支払いたい。しかも、直接にだ。

それは「ご飯」だけでなく「物」でも同じである。欲しいCDがあったら、私はなるべく安価な中古ではなく、新品を定価で買う。当たり前だが、中古品を買ったのでは作った当人にお金がいかない。昔のレコードや今はもう売っていないヴィンテージなら仕方ないが、昔の物でも新品としてちゃんと流通している商品に対しては、私は同じ「ものづくり」をする立場として、なるべく作った本人にお金がいくように定価で買いたい。なぜなら、その行為は作った人が金銭的に潤うのと同時に、「売れた個数」という数字によって作り手への賛辞がメッセージとして伝わるからだ。

ちなみに私はクレジットカードを持っていない。やはり、どんな高い物でもカードでは「金を払った感じ」がしないし、逆に現金で払わないと、その「高価な物を買う重要性」を体で味わえない。高い物を買うときにはそれなりに覚悟したい。自分が身を削り働いて稼いだお金を手放す勇気、そして、代わりにその品を手に入れる快感。それはやはり現金でないと味わえない醍醐味であり、そこで得る「払ったった！」という感覚は、私にとってとても大切なものなのである。

そう考えると口座振替という方法も、現金でなくデータ上のやりとりであると同時に、「金を払う」という行為に自分自身が介入できないシステムだ。ゆえに私はその方法を未だに利用できずにいる。

「んふーって……星野さんまさか、口座振替はお金が見えないから嫌だとか言うんじゃないでしょうね」

その通りだが。

「（ため息）だから、そこが残念だって言ってるんですよ。こだわり発言はちゃんと料金支払ってから言ってください！」

え？

「気持ちはわかりますけど、どんなに正当な理由があっても通話料金滞納してる人に説得力はまるでありませんよ」

「すいません」

正論だ。すぐ謝ってしまった。さっきまで心の中でしていた力説は一体何だったんだ。

思いっきり無駄じゃないか。声に出して力説しなくて本当によかった。

その後私は猛烈に恥ずかしくなり、なんだか眠たくなってきてしまったので打ち合わせをうやむやに終わらせ、そそくさと家に帰ったのだった。


家に着いた私は「今度こそちゃんと払うぞ」とさすがにやる気になり、支払い明細を探すのだが探しても探しても全然、もうほんとに笑っちゃうほどに見つからない。

しかも探してる間にマイケル・ジャクソンのメンコ（こないだのと同じやつ）、マイケル・ジャクソンのポスター（中野ブロードウェイで五百円で買ったもの）、マイケル・ジャクソンの映画『ムーンウォーカー』のDVDのケース（ケースだけ失くしてずっと探してたやつ）、「スリラー」のマイケルが描いてあるマグカップ（おそらく非公式のもの）などのグッズ類が出てくる始末。またマイケル、ああ、またかマイケル。もうマイケルまたあ？　といった具合にどんどん出てくるマイケルグッズに、自分がどれだけマイケル・ジャクソンが好きなのかを再確認した。

それもこれも部屋がどうかと思うほどに散らかっているせいだ。こうなってくると掃除もしなきゃな。掃除したら絶対に見つかるだろう。自分の部屋で失くしたんだからどこかにあるはずだ。

そうだ、そしたらついでに風呂掃除もしよう。そしてたまっている洗濯物も一気に洗濯しよう。食器も洗おう。本棚の整理をしよう。そうすれば生活は一変するはずだ。よし、やるぞお。


気がつくと私は、テレビのスイッチを押していた。

なんだかもう、やること多すぎてめんどくさくなっちゃったよ。

テレビではちょうど『あいのり』が始まる時間だ。

みなさんご存知だと思うが、『あいのり』は恋愛バラエティー番組である。男女入り交じった七人の若者が海外を旅し、その中で好きな人ができたら告白し、その告白が成功したら相手と二人で一緒に帰れるのだが、成功しなかった場合は一人きりで帰国しなくてはならない。ゆえに慎重になって告白は先延ばしになり、旅は長期間に及ぶだろう。きっと出演者の彼らは何ヶ月も日本には帰れないのだと推測する。

旅をしながら泣き、恋愛に打ち込みながら泣く若者たちを見ていて、ふと思った。彼らはこの長い旅の間、一体どうやって携帯電話の料金を支払っているのか？

あ、口座振替だ……！

ちょっと待て。この、恋愛にうつつを抜かしてチャラチャラしている（偏見）いけ好かない若者たち（主に顔が美形な奴が多いのがムカつく）が、ちゃんと携帯電話の料金を支払っていて、この真面目に働きすぎて特に恋愛する暇もない自分が支払っていないというのか！

これはまずい！

早速電話会社に電話しようと思ったのだが、携帯電話がいつの間にか止まってしまっていたので、家から自転車で走り回って十分ほどかかってやっと見つけた公衆電話から、十円玉を七枚入れて電話をかけた。

「あ、もしもし、星野と言いますけれども、支払いを口座振替にしたいんですが！」

「本日の電話受付は終了しました。営業時間内におかけ直しください」

「……」

私は受話器を片手に膝から崩れ落ちた。

そりゃそうだ、もう夜の十一時過ぎだ。会社のほとんどは営業を終了している。支払い明細に記載された電話受付時間は夜八時までだった。全然間に合ってない。ていうか、ちゃんと掃除して請求書見つけて、コンビニ行って普通に支払えばよかった。ああ、何やってんだろう。

そして私は、夜の公園でひっそりと涙を流したのだった。

結局、次の日改めて電話会社に問い合わせたのだが、口座振替の申込書を提出してから手続きをして、実際に自動引き落としが開始されるまでに二ヶ月かかります、と言われてしまった。

その期間の長さに少しだけ断念しかけたが、このままでは一生この問題に振り回される気がしたので、思いきって申込書を郵送してもらうように頼んだ。

二ヶ月か……うむ。いける。その間ならなんとか自力で支払えるだろう。長かったこの支払い問題も、これできっと乗り越えられるさ。

仕事から帰ってくる。

携帯電話料金の口座振替申込書をポストの中に見つける。

「書いて返送しなきゃ」と思うが、仕事の都合上帰宅時間はいつも遅く、今日も既に夜中の十二時を回ってしまっている。

今から書き込んでポストに出しに行くのも、単純にめんどくさい。

とりあえず部屋に入り申込書を適当な場所、たとえば床に積んである買ったばかりでまだ読んでいない本の上にポンと置き「明日書いて送ろう」と心に決める。

翌日、出勤前に思い出して申込書を探すのだが全く見つからない。本の上に置いておいたはずのものはこつ然と姿を消し、代わりになぜか友達にもらったマイケル・ジャクソンのツアーパンフが……。

生活はつづく

五回。
今日、街で知らない人に声をかけられた数だ。
まず池袋駅の東口で二人に声をかけられた。一人目は「手相の勉強をしていまして……」と言う眼鏡をかけた男性、二人目は「占いの勉強をしてるんですが」と言う地味な顔の女性だった。あいにく私は基本的に占いというものを信用してないので、どちらとも「いいです」と丁重に断らせてもらった。
その後CDを買うために移動した新宿駅では、二人の男性に声をかけられた。一人目は眼鏡をかけた羽生善治名人似の男で、二人目は茶髪だが人の良さそうな男だった。これまでの人たちと同様に占いを勉強中で手相を見せて欲しいと言うので、もちろんどちらとも丁重に断った。

その後無事にCDを買い、新宿駅に戻る途中にまた声をかけられて驚いた。なぜなら、その人は新宿で二番目に声をかけてきた茶髪の男と同一人物だったからである。

「あの、私いま手相の勉強をしてまして、ちょっとお時間もらえませんでしょうか」

「いいですううう！！」

私は珍しく、というか初めて、他人に大声を上げてしまった。

わかっていただけるだろうかこの怒り。

私は中学生の頃から、街を歩くと必ずこの手の人間に声をかけられてきた。おそらくこの持ち前の老け顔ゆえに、実際の年齢より大人に見られたのだろう。しかし一日でこんなに声をかけられたことは今までなかった。新宿に着いた時点で既に四人。池袋から考えると、約三十分の間に四人も声をかけてきたことになる。

あのとき、私の頭の中は「俺ってそんなに悩んでいるように見えるのか？」という不安と疑問でいっぱいだった。

基本的に占いというものは、悩んでいる人が行くものである。女性は割と気軽に観てもらう人も多いようだが、男が占いに行く場合、そうとう深く悩んでいる奴か、そうとう不幸な奴か、そうとう可愛い彼女が「占い行こうよ～」と甘えてきて「占い？　えー超メンドくせえよ」と言うのだが「え～占いしようよ～超しようよ～」とすりすりしてくるので仕方なく「あんだよ、まったく超しょうがねえな」と渋々付き合うという不埒《ふらち》な奴の三パターンしかありえない。つまり、男にとって占いはかなりハードルの高いイベントなのだ。

しかし私はその日一人だったし、そうとう可愛い彼女もいなかった。あと可愛くない彼女もいないし、ていうか彼女自体がいない。そのことでは少し考えるところはあるが、別に悩んでいるわけではないし落ち込んでいたわけでもない。占われる要素は一つも見当たらない。しかし、それでも声をかけられるということは、私は自分では気づいていないだけで実はものすごく不幸そうに見えているんじゃないか。もしくは顔に死相みたいなものが出ているかだ。どちらにしろ、そう何回も声をかけられたんじゃ不快な気分になるなというほうが無理ではないか。

そこへきてだ。ほんの十分ほど前に声をかけてきた男がもう一度、疑いのない目でまったく同じ台詞《せりふ》を言いながら笑顔で近寄ってきたのである。そりゃ大声も出る。茶髪の人の良さそうな男は「すみませんでした」の一言もなく、不幸そうな私を置いて別のターゲットの所へ歩いて行ってしまった。

不幸とは何か。

知人に、付き合っている彼氏から執拗な暴力を受けている女の子がいる。友人たちから事あるごとに「早く別れなさい」と言われるほど、高いレベルのDVだそうだ。

私がみんなと同じように「そんなに大変なら別れちゃえばいいのに」と言ったときの、彼女の言葉はこうだった。

「だって私しか彼を更生させてあげられないもん」

そう言った彼女の目には、諦めと、無駄に強い自信があった。

「でも、暴力ふるうとき以外は本当に、本当に優しいんだよ。この世にこんなに優しい人がいるのかってくらい優しいの」

書いているだけでしょんぼりしてしまう台詞ではあるのだが、こういう言葉を聞くと、本当に不幸な人なんていないのではないかと思えてくる。人間はどんな状態であろうと、その中での幸せを無理矢理にでも探し出し、それを糧に生きてゆく。

私だってそうだ。小学生の頃、毎週木曜日の夜に放送していたとんねるずのバラエティー番組だけが、生きる糧だった時期がある。

あれ？　急に話のグレード下がった？

いや、ともかくそういう時期があったのだ。その頃、その番組を見ている以外の時間、ずっと私は「自分は不幸だ」と感じていた記憶がある。

つまらない家庭に生まれて、つまらない顔に生まれて、つまらない性格に生まれて、つまらない一生を終えるんだと思っていた。うまく友達と接することができない。女の子と話すにも自信がなくて声が出ない。家に帰っても特に話すことがない。だから自然と自分の部屋に閉じこもった。ああつまらない。つまらないなあ。不幸だ。自分は不幸である。と、思っていた。今考えれば、思春期の自意識過剰による普通の悩みなのに、当時は余裕もなく結構つらい思いをしていた。しかし、とんねるずの番組を見ているときはそれを忘れられた。

ギャグとは破壊である。当時その番組を見ながら、彼らが繰り出すギャグの力でつまらない自分を破壊してもらっていた。しかし悲しいことにその頃の私は笑うことが上手ではなく、恐ろしく内向的だった。おもしろいと感じたことを「ワッハッハ」と笑いに変換する機能が停止していた。その代わり、と言えるのかどうかはわからないが、おもしろいと思ったり笑いたくなると、いつもすることがあった。

死ぬほど歯を食いしばっていたのである。

全身に力を入れて、顔を真っ赤にしながら、思いっきり力を入れて歯を食いしばる。それがその時期の私の「笑う」という行為だった。

傍目《はため》から見たらかなり病的に映ったはずだ。両親も心配だっただろう。小さい頃はケラケラとよく笑っていた子供が、いつの間にか笑わなくなり、テレビを見ながら必死になって歯を食いしばっているのだ。

　でも、私はそのときすごく幸せだった。

　だっておもしろかったんだもん、とんねるず。

　この「歯を食いしばって苦しそうなのに幸せ」という状態からもわかるように、見た目と中身は必ずしも一致するとは限らない。私は今でも、基本的に感じたことを素直に表現するのが下手だ。

　だからいつでもどんな状態でも、たとえそれが幸せな状態であっても、「こいつ悩んでるな」と見習い占い師に勘違いされ、声をかけられてしまうのである。


　つまらない毎日の生活をおもしろがること。これがこのエッセイのテーマだ。なぜこのテーマを選んだかには一応理由がある。

　人は生まれてから死ぬまでずっと生活の中にいる。赤ちゃんとして生まれてから、やがて年老いて死ぬまで生活から逃れることはできない。誰だってそうだ。

　一見華やかな世界にいるように見える芸能人や、一見ものすごく暗い世界にいるように思える犯罪者だって、当たり前に生活をしている。その人のパブリックイメージと実際の生活は、必ずしも一致するとは限らない。

たとえばアカデミー賞の授賞式。ファンの声援に応えながらレッドカーペットを歩いているスター俳優の家の炊飯ジャーでは、一昨日炊いて食べ残したご飯が黄色くなり始めているかもしれない。

ある人気ロックバンドのギタリストが三万人の観客の前で素晴らしい演奏をしたその十時間前、彼は自宅のトイレで便器の黄ばみが取れなくて悩んでいたかもしれない。どんなに浮世離れした人でも、ご飯を食べるし洗濯もする。トイレ掃除だってする。シャワーカーテンが下のほうからどんどん黴《か》びてきて、新しいの買ってこなきゃなあとか思う。一国の首相だって、たまたま入ったトイレのウォシュレットの勢いが強すぎてびっくりしたりする。どんなに凶悪な殺人犯だってご飯を美味しいと思う。どんなに頭のおかしい奴だって、一人暮らしならば家賃を払う。電気代を払う。水道代を払う。顔を洗う。

たとえ戦争が起きたとしても、たとえ宝くじで二億円当たったとしても、たとえいきなり失業して破産してホームレスになってしまったとしても、非情な現実を目の当たりにしながら、人は淡々と生活を続けなければならない。

全ての人に平等に課せられているものは、いずれ訪れる「死」と、それまで延々とつづく「生活」だけなのである。

でも私は、生活というものがすごく苦手だ。

昔から、この劣等感の塊のような自分から逃げたいと思っていた。だからそんな自分を忘れさせてくれる映画や芝居、音楽やマンガなどに夢中になった。しかし夢中になればなるほど、その逃避の時間が終わって普通の生活に戻る瞬間、とてつもない虚無感に襲われた。でも当たり前だ。逃げているだけでは自分は変わらない。

そこで私は、その逃避できる世界を作る側に回りたいと思った。演劇に夢中になり、役者をやったり脚本を書いた。音楽に夢中になり、楽器を練習して歌を歌った。物書きに憧れて、誰に見せるわけでもない小説を書いた。やがてその中のいくつかはいつの間にか自分の職業になっていた。そして、その楽しいことでお金がもらえるなんてまったく夢のようだと思った。

しかし大勢の人の前で芝居をして拍手をもらい、一万人の前で演奏して拍手をもらっても、一度家に帰ってひとりになると、そこにはあの小学生のときに感じた、とてつもない虚無感が変わらずに広がっていたのである。

だから私は仕事の予定を入れまくった。その虚しさから一秒でも早く逃れたかった。

しかし必死になれば必死になるほど、その仕事での達成感と生活に戻った直後に感じる虚無感との差は、日に日に広がっていった。

そしてある日、過労で倒れた。

役者として出演していたある舞台の本番二日前、急に熱が出始めてしばらくして動けなくなった。救急病院に連れて行かれ、過労だと言われた。なぜか薬も点滴もまったく効かず、体中に激痛を感じるようになって苦痛と不安で狂いそうになった。熱は三十九度六分。その後、家に帰っても体の激しい痛みと高熱は引かず、こんな具合では今回の舞台を降板しなきゃいけなくなるかもしれないと思い、慌てて実家に電話し、親に看病に来てもらった。

「つらいよう。過労でだおれたよう」

と言い、涙を流しながら母親の手を握った。情けない。普段だったら恥ずかしくてそんなことできないのだが、そう思う余裕もなかった。ただ尋常でない体の痛さに、猛烈に心細かった。

すると母親は、半笑いで言った。

「過労？　……ああ。あんた、生活嫌いだからね」

「え？」

「掃除とか洗濯とかそういう毎日の地味な生活を大事にしないでしょあんた。だからそういうことになるの」

なんだかわからんがその通りだ、と朦朧《もうろう》とした頭で思った。

私は生活が嫌いだったのだ。できれば現実的な生活なんか見たくない。ただ仕事を頑張っていれば自分は変われるんだと思い込もうとしていた。でも、そこで生活を置いてきぼりにすることは、もう一人の自分を置いてきぼりにすることと同じだったのだ。楽しそうに仕事をする裏側で、もう一人の自分はずっとあの小学生の頃のつまらない人間のままだったのである。そりゃあ、見た目と中身に差が出るのは当たり前だ。

そういえば昔からそうだった。好きだと思っている人に「星野くんって私のこと嫌いでしょ」と言われたり、苦手な人ほどなついてきたり。信頼している人に「君って何考えてるかわからないね」と言われたり。それがどうしてなのか、ずっと謎だった。でも母親の一言で私はようやく、その答えがわかったような気がしたのである。

そんなわけで生活をおもしろがりたい。

しかし、ただ無理矢理生活に向き合うだけじゃすぐに飽きて同じ失敗をしかねない。むやみに頑張るのではなく、毎日の地味な部分をしっかりと見つめつつ、その中におもしろさを見出すことができれば、楽しい上にちゃんと生活をすることができるはずだ。そしたらあの「とてつもない虚無感」もなくなるかもしれないし、感じたことを素直に表すのも上手になるかもしれない。そしてもう、見習い占い師に声をかけられることもなくなるかもしれない。そう思う。

なんだか真面目な話になってしまったけど、最初はこんな暗い話をするつもりじゃなかった。「見習い占い師に五回も声かけられちゃった。気分悪いよねー」というくだらない話で終わらせるつもりだった。

しかしいま現在深夜であり、つい先ほど自慰行為を済ませ、そして今なお下半身がしだるま状態でこれを書いているので許して欲しい。

私は今、とてつもない虚無感に襲われているのだ。

連載はつづく

なんだかわからないが、一号に二回分の原稿を載せることになった。
なんだそれ。そんなのアリか。
大変だー！
締め切りが倍になったー！
嫌だー！
いや、もうやめよう。叫んでもどうにもならないことだってある。
先日もこんなことがあった。

その月は仕事が異様に忙しく、家に帰ってもすぐ寝てしまい、掃除もできずに部屋は荒れ放題だった。当然洗濯すべき服も溜まる。洗濯機の中に入れておいた未洗いの服た

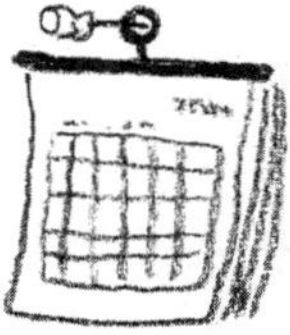

ちは槽の中だけでは収まらず、どんどん積み上がって「ピアノの粉末」のように山なりになっていた。……いや、これじゃあ誰にも伝わらないな。サービス過剰なかき氷のように山もりになっていたのである。

もう明日着る服もない。深夜だが、思いきって洗濯をしようと思った。

私が住んでいるマンションの中には、小さなコインランドリーがある。物件探しのときに珍しいなと思い、大家さんに理由を訊いてみたところ、このマンションは単身赴任のお父さん方をターゲットに造られたらしく、洗濯機を置くスペースがない物件ばかりなのだと言う。そのため、一階の端っこの小さな部屋にコイン式の洗濯機と乾燥機が二台ずつ置かれていた。

幸い私の部屋にはちゃんと洗濯機を置くスペースがあったので、とりあえず部屋で洗濯をし、そのランドリールームの乾燥機に服を放り込んだ。

問題はそこからである。

いったん部屋に帰ってマンガを読みながら二時間ほど待ち、私は乾いた服を取り出そうと乾燥機の扉を開けた。

ブラジャーがいっぱいあった。

何が起きたのかわからなくて一瞬パニックになったが、使っていた乾燥機を間違えたのかもしれないと思い直し、別の台を見るが特に何も入っていない。どうやら選んだものは間違っていなかったようである。もう一度扉を開けてみた。

ブラジャーがいっぱいあった。

あ、でもよく見ると自分の服もある。

よかった。

あれ？　でも、ブラジャーもいっぱいあるなあ。

……。

どういうこと⁉

私は全速力で自分の部屋まで戻り、ドアをバタンと閉めて胸を押さえた。

なんだ……なんなんだ、この胸のざわめきは。

私はいま現在一人暮らしをしている。当然自分が洗った服の中にブラジャーなんて神秘的なアイテムはなかったはずだ。なのになぜ、薄汚いパンツやらジーンズやらにまぎれてかなり派手な色のブラジャーが……いや、あの量からすると、たくさんのブラジャーの中に私の服が混じっていると言っても過言ではないだろう。紫色やピンク色、灰色やどどめ色したブラジャーたちがなぜこの中に入ってるんだ？

もしや最初から入っていたのか。

いや違う。初めに洗濯物を放り込んだときにはブラジャーはなかった。あんな大量のブラジャー、いくら注意力散漫な私でも気づくはずだ。

ならば、誰かが乾燥の途中で入れたとしか考えられない。しかしなぜそんなことをしたのか。

まず、ひとつ考えられるのは、誘惑だろう。

同じマンションに住んでいるなんていうか痴女的な女性が、私が服を乾燥機にかけたのを見計らって自分のブラジャーを大量に放り込み、そしてそのブラジャーを見て慌てふためく私を誘惑。そして痴女はおびえる私を自分の部屋に招き入れ、服を脱ぎ、それはもう、いろいろなことをするのだ。

いいなあ。

……いや、でも今現在いろいろなことはされてないから、それは違うか。

もしや、下着ドロの犯行か?

近所に捕らわれた薄幸の美人若奥様の下着を盗んだ泥棒が、銭形風の刑事に追われて逃げ込んだあるマンション。そこには何と今まさに回ったばかりの乾燥機があり、しめたと思った泥棒はありったけのブラジャーを放り込んだのだ。

なるほどそういうことか。そしたら私はその泥棒が戻って来るまであのブラジャーを守ってやらなければならないだろう。よおし、そうと決まればさっそく私の洗濯物と一緒に取り込みに行くぞう！

しかし冷静に考えると、もし、ブラジャーを取り込む様を他の住人に見られてしまったら、間違いなく窃盗罪で逮捕されるだろう。逮捕は嫌だ。こう見えても一応芸能界に片足突っ込んでいる男だ。犯罪はまずい。しかも性犯罪だ。すごく恥ずかしいじゃないか。それは極力避けたいところだ。

やっぱりやめよう。ドアを開けようとしていた私は、ノブから手を離した。

さてどうしたもんか。

しばらく考えたが、おそらく犯人は「洗濯機でブラジャーを洗ったはいいが、乾燥機を使うお金がなくなってしまい、やむをえずそのとき私が使っていた作動中の乾燥機に放り込んだ」のではないか。

はっきり言ってこれもにわかに信じがたいが、もう思いつかないからこれでいいやという諦めの混じった結論である。

そうなると、やはりここは人に見つからないように乾燥機の中から自分の服だけを取り出し、直ちに部屋まで持って帰るのが一番の方法なんではないかしら。

ドアを開けて廊下を覗いてみる。とりあえず人が来る気配はない。ちなみに自分が住んでいる部屋は一階なので、同じ階にあるランドリーまではかなり近い。距離にして十メートルほどである。

よし……やろう。いま取り込まなければ明日、私は全裸で仕事に出かけなければならなくなる。それは嫌だ。そんなのどっちにしろ逮捕じゃないか。変に焦ったりしなければ無事任務を遂行できるはずだ。

全速前進五秒前。よん、さん、にい、いち……。

GO！

私は洗濯カゴを脇に抱えてランドリーへとダッシュした。細く延びる廊下をぬけて、エレベーター手前の角を左へ曲がる。するとそこには「コインランドリー」と書かれたドアがあった。この扉を開ければ乾燥機はすぐ目の前だ。しかしその奥にもし人がいた場合、任務は即終了である。しかもそれがブラジャーを入れた張本人だった場合、事態は最悪の結末を迎えるだろう。

急ぎつつも慎重にドアを開ける。……人はいない。私は急いで乾燥機から自分の服だけを取り出した。

く……！　ブラひもが絡まって非常に取りづらい！　リュックの中に入ったイヤホンのコードみたいにしつこく絡まっている。ちくしょう急げ。早くしないと通りかかった住人に見つかってしまう。そんなことになったら通報されて即犯罪者だ。嫌だ嫌だ。こんなレベルの低い犯罪は嫌である。どうせやるならデカい犯罪をしたい。そう、たとえばブッシュ元大統領の鼻の穴にいろいろな豆を入れられるだけ入れたい！

そうこうしているうちに見事自分の服のみを取り込めた。乾燥機の中は、もうブラジャーしか残っていない。私は全速力で自分の部屋まで走ってドアを開け、すばやく中へ入った。

フー。……やったぞ。ついに任務を遂行させた。これで犯罪も性犯罪も犯さずに済んだ。なんて清々しい気持ちなんだろう。いま現在深夜だというのに、達成感で私の胸の内同様に青空が広がっているような気がした。

カーテンを開けると、実際青空だった。どうやらいろいろと悩んでいる間に朝になってしまったようである。

窓を開けて深呼吸をする。なんて気持ちのいい朝だ。空気もうまいし、洗濯物もいい感じに乾燥されている。よおし、畳むぞう！

十分後。全ての洗濯物は綺麗に畳まれ、クローゼットに収まった。これでいい。今日も一日頑張れそうだ。ううーんと言いながら背伸びをして、ふと洗濯カゴに目をやると、中に何やら小さい物体が転がっているのが見えた。なんだろうと覗き込み、手に取ってみた。

ブラジャーのパッドだった。

「いやあああああああ！」

叫んだ。部屋で一人で絶叫した。

なんなんだ。今までの苦労が水の泡じゃないか。星野源一生の不覚。あんなに気をつけていたのに、たった一つのブラパッドを見落として部屋まで連れてきてしまった自分への苛立ちと、そしてこれからまたランドリーまで返しに行かなければならないという事実が心の中で拒否反応を起こし、私は叫んだ。

「いやだあああああああ！」

もう何もしたくなくなった。すべてがめんどくさくなった。ブラパッドを返しに？　行かん行かん行かん！　仕事？　行かん行かん！　税金？　払わん払わん！　歯磨き？　宿題？　やらんやらん！　やらんといったらやらんぞ！

私は一気にふてくされ、二時間ほどぶーたれた。もう何もしなかった。ベッドで横になりながら壁とか殴った。「もー死んじゃえばいいじゃんオレなんかさああ」とかブツブツと呟いたりした。

しかしそうこうしているうちにだんだんと不毛な気分になり、ふてくされるのにも飽きてきて、私は行動に出ることにした。パッドを乾燥機に戻しに行ったのだ。

実質、十秒で任務を終えた。速いなあ。今までふてくされてた二時間はなんだったんだろう。ものすごく無駄だ。デパートのトイレに付いている、水の音を鳴らして排便の音をごまかすあの機械「音姫」ぐらいムダである。あれさ、どう考えても「音姫」から出る音より、うんこのブリブリって音のほうがデカイよね。


ちょっと話がずれてしまったが、つまり私が言いたかったのはこういうことだ。

ただ叫んでいてもどうにもならないが、行動に移せば十秒で終わる場合もある。今回の原稿のことだって、「締め切りが倍になるのは嫌だ」と一人で叫んでいてもどうにもならない。しかしその不満をストレートにぶつけてみれば何か変わるのではないか。もしかしたら事態も好転するかもしれない。きっとそうだ。さっそく担当さんに電話してみよう。

「あのう、もしもし。一号に二回分載っけるのやめたいんですが……」

「ダメです」

……うん。

ほら。七秒で結論が出ました。

はい、じゃあ書きまーす。

そんな気持ちで原稿を書き始めたら、今の時点で二日と半日もかかってしまった。中身のない、ブラジャーの原稿に約六十時間も費やした。

この文才のなさを、笑えコノヤロー。

子育てはつづく

最近、周りでたくさんの子供が生まれている。

もちろんめでたいことなので嬉しいし素直に祝福するのだけど、ふと自分の場合を考えるとなんというか、両手でガッツポーズを作って飛び跳ねながら無邪気に「俺もつくりてー！」と言うことができない。

昔、松尾スズキさんがインタビューで、子供はつくらないのかとの質問に「作品が自分にとって子供みたいなものだから、まだいいかなと思う」というようなことを言っていて、なるほどなあと思った記憶がある。

自分だってなんだかんだで作品をつくる身だし、しかも子供ができてしまったらどんどん余裕がなくなってきて、今までのように集中してものづくりができなくなるんじゃないかという不安もある。

さらに、テレビも新聞もあまり見ないのでよくわからないけど、最近不況だ不況だと騒いでいるみたいだし、年々地球環境も悪くなっているというし、こんな状況で新しい命を産み落としていいのでしょうか、といった考えもよぎらないわけではない。

しかしそれより何より、自分が周りの同世代の男性のように「子供つくろうぜ」みたいな「BANDやろうぜ」的なノリで子づくり宣言できない理由は、結婚していないのはまあもちろんのこと、やはり私が昔から抱いてしまっている子供と接するときの「あの感じ」が、一番の原因ではないかと思う。

私は子供、正確に言うと生まれたばかりの赤ん坊から小学校高学年あたりまでの子供に会うと、その人を「先輩」、もしくは「同年代」として応対してしまう癖がある。対峙したとたん、どう頑張っても上から目線でその年齢の子供を見ることができなくなる。なぜだか彼らや彼女らに見つめられると、同じ目線、もしくは下からの目線で接してしまい、自分の全てを見透かされている気がして嘘がつけない。子供だましの対応ができない。

たとえば知人の赤ちゃんをあやすときでも、「ばぶ〜」とか「ほら〜星野のおじちゃんでちゅよう〜」みたいな赤ちゃん言葉がまったく使えない。ただただ背筋を伸ばして「おはようございます」と敬語で言いたい気持ちになってくる。

なぜなら、子供としっかり対峙すると、その子の心の真っすぐさに比べて自分の心の「真っすぐでなさ」がどんどん浮き彫りになっていき、最終的にものすごく後ろめたい気持ちになってしまうからだ。

だいたい赤ちゃんなんて表情がふてぶてしい人がほとんどだから、きっと心の中で私たちのことを「こいつバカだな」と思っていると思うのですよ。だから必然的に「お久しぶりっす」「どうすか最近」「自分なんかまだまだっす」みたいな、卒業してからも部活動に参加してくるOBに対する在学中の後輩の対応みたいな、やんわりとした緊張感のあるものにどうしてもなってしまう。

常にそういった、子供に対して警戒心というか油断ならない感じがあるわけで、だからどうしても子供をつくるという立場に、両手を上げて高くジャンプしながら立候補することができないのだ。

ようこちゃん。

ようこちゃんとは、筆者の母親の呼び名である。私は、物心がつく前から母親のことを「お母さん」でも「ママ」でもなく「ようこちゃん」と名前で呼んでいた。しかし幼稚園に入り社会性が身についてくると、それに少し恥じらいを覚えるようになり、あるときようこちゃんの呼び方を「お母さん」に変えてみたのだ。すると、ようこちゃんは急に表情を変えてこう言った。

「お母さんなんかじゃないよ！」

私は、物心がついてすぐに、自分の母親から母親離脱宣言をされてしまったのである。なんだかわからないが、幼い私はそう言われて納得せざるを得なかった。しかも、それから近所の子が遊びに来ると彼女は、

「こんにちは、美人のようこちゃんです」

「これからは美人のようこちゃんと呼びなさい」

と言い続け、最終的には近所の子供全員が彼女のことを「ようこちゃん」と呼ぶようになっていった。あいにく、「美人の」をつけてくれたのは、今でも交流がある親友の「だいすけ」と「まさき」の二人だけだったが、その一件は当時から現在に至るまで、母親のことを「ようこちゃん」と呼び続ける要因になった。

私が六歳の頃、父親が一枚の写真を見せてきたことがある。

それは見晴らしのいい公園で父が赤ちゃんの私をたかいたかいしている写真だった。

ちょうど一番高く上がっている瞬間を捉《とら》えた一枚で、ゆえに私は父の手を離れて少しだ

け宙に浮いていた。

　それを見てようこちゃんはこう言ったのだ。

「源はね。このとき、宇宙から落ちてきたのよ」

「そうなの⁉」

「そう。だから源は、宇宙から落ちてきた星の王子様なの」

「ねえお父さん、ほんと？」

「ああ、本当だ」

　幼い私は、その話を思いきり信じた。

　その後、友達にその話をして「ばかかよ」と言われるまで、私はしばらく宇宙人としての自覚を持つようになる。

　だってそんなの信じるだろう。まだ夢見る男子だったのだ。金曜ロードショーで『天空の城ラピュタ』観た後に二時間くらいベランダで「女の子落ちてこないかなあ」って夜空眺めてた私だ。宇宙人なんてそんな魅力的なこと言われちゃったら、そりゃあもうイマジネーションだよ、イノセントだよ、しょうがねえよ。

　さらに八歳の頃、夕方に家でぼんやりテレビを観ていたら、外からトラックのエンジン音とともに拡声器から流れる「たけや～、さおだけ～」という竿竹屋の呼び声が聞こえてきた。するとようこちゃんはスッと立ち上がって言ったのだ。

「行かなきゃ」

え？　と訊き返すと、ようこちゃんは私の肩を抱き、

「ようこちゃんね、実は『たけやさおだけ星』という星の王女なの」

と言った。もちろん信じた。

「そうなんだ！」

「迎えに来たみたい……帰らなきゃ」

「え、どういうこと？」

「さようなら！」

そう言い残してようこちゃんは出て行ってしまった。

家に一人残された私は、もう二度と会えないんじゃないかと思って泣いた。しかし一時間ほどして、ようこちゃんはスーパー「マルエツ」のビニール袋をぶら下げてあっさり帰ってきた。

「ただいまー」

「……ようこちゃん！　ようこちゃんが帰ってきた！」

「途中で宇宙船が壊れたから、スーパー寄って帰ってきちゃった」

その言葉を聞いて、私は飛び上がって喜んだのだった。

さらにさかのぼって五歳の頃。

星野家は、当時風呂に入る順番が決まっていた。父、私、そして最後にようこちゃん。必ずそういう順番だった。

ある日、私がいつものように風呂から上がりアイスを食べていると、風呂場から「キャー！」というようこちゃんの悲鳴が聞こえた。そのあまりの声の大きさに慌てた私は、「どうしたのようこちゃん！」と叫んだ。すると、ようこちゃんのさらに大きな声が響いた。

「源、助けて！」

私は走った。風呂場に向けて全速力で走った。ようこちゃんが危ない。頭の中は恐怖心でいっぱいだったが、そんな気持ちを振り払うかのように、思いっきり風呂場のドアを開けた。

するとそこには、栓を抜いてお湯が徐々になくなりつつある湯船に浸かったようこちゃんが、必死の形相でこっちに手を伸ばしていた。

「源！　吸い込まれるー！　排水溝に、吸い込まれるー！」

私は泣きながら必死にようこちゃんの手を引っ張った。このままではようこちゃんが吸い込まれて死んでしまう。五歳児の力はひ弱なものだったが、パニックになり号泣しつつも狂ったように手を引っ張った。

しばらくしてようこちゃんは立ち上がり、「助かったー」と言いながら湯船を出て、泣きじゃくる私を抱きながらこう言ったのだ。

「どうも、ありがとうございます」

そんな親である。

なんというか、うちの親は自分の子供を使って遊んでいた。ひとりっ子だった私は客観性がない分、真っすぐに全身で受け止めるしかなかった。ゆえに概ね引っかかったのだ。

四年ほど前、仕事でヘマをして、所属している事務所の社長に泣きながら怒られたことがあった。そのとき言われたのがこれだ。

「なんなの⁉ あんたはなんでそんな人間なの⁉」

全否定である。まあ、そんな怒られ方をするほどどうしようもない、バカなことをしてしまったのだけど、それは長くなるので今回は書かない。とりあえず私は当時、一人の大人を泣きながら怒らせるほど、ダメな人間だったことは間違いない。

しかし、当時は怒っている意味がまったくわからなかった。が、わからないなりにその言葉に強いショックを受けた私は、言われた通りになぜそんな人間になったのか、小学生時代を過ごした場所に行って当時を振り返ることにしたのだ。

私は小学校の頃、ちょっとしたいじめにあっていた。それがきっかけで神経性の腹痛に悩まされ、そしてそれは今でも続いている。だからその頃のことはあまり思い出さないようにしていた。嫌な思い出だったのでとにかく忘れたかった。しかしこれを機に、ちゃんとその頃の自分と向き合ってみようと思ったのである。

その晩、一人で昔育った町をうろついた。通学路や学校、よく行っていた本屋や公園など、懐かしい風景を眺めながら歩いた。しかしいつまでたっても学校であった嫌な出来事はフラッシュバックすることなく、代わりに先ほど書いたような家の中での親とのバカな出来事ばかりをどんどん思い出してきたのだ。

てっきり悲しい思い出ばかりだと思っていたのに、実際に思い起こされるエピソードは親にだまされ遊ばれたという、バカで、くだらなくて、楽しいものばかりだった。

私はそういったことをほとんど忘れてしまっていた。そして、学校での辛い体験を思い出さないようにすることで痛みを増幅させ、「私は心に傷を負った人間です」と思い込もうとしていたのだ。そして私はそのとき初めて、自分は「そんな人間」だったんだということに気づいたのである。

先日、子供の頃のことをようこちゃんに訊いてみた。

まずは、なぜ「美人のようこちゃん」と呼ばせたのか。

「えー、だってそれは美人だから」

いやいや、違う違う。「美人の」の部分じゃなくて。

「うーん。それは、源が周りに気を使って、呼び方を変えるのが嫌だったからよ」

なるほど、だから近所の子に「ようこちゃん」と言わせることで、私が無理なく「ようこちゃん」と呼べるように土台作りをしていたのか。じゃあ、「たけやさおだけ星」とかお風呂のことは？

「だって、学校行って帰ってくるたびに源の顔が暗くなっていくんだもん。それを無理に頑張れって言うのも嫌だし、だからせめて家の中だけは楽しくいてもらおうと思って、いろいろしたの」

だからって、王子とか王女とか風呂に吸い込まれるってのは、くだらなすぎるんじゃないだろうか。でも、今気づいた。私は遊ばれていたのではなくて、遊んでもらっていたのだ。

自分の子供をこの世に残すということに相変わらず不安はあるのだが、もしこんなくだらない思い出を残せるなら、私も子供を使って遊んでみたいと思った。

とりあえず、風呂に吸い込まれるのはぜひやってみたい。

そしてちゃんと助けてもらえたら、同じ目線で、真っすぐな心で、「ありがとうございます」と、敬語でお礼を言うのだ。

貧乏ゆすりはつづく

最近、テレビを見ているとき、原稿を書いているとき、メールしているとき、うんこをしているとき、人の話を聞いているとき、お菓子を食べているとき、エロ本を読んでいるとき、貧乏ゆすりをしていることが多い。

特にイライラしているわけではなく、そこまで貧乏なわけでもないのに、どこか気持ちが不安定で、足がぷるぷると振動している。不思議だ。

前からこんなに貧乏ゆすりしてたっけ。

詳しくは覚えていないが、昔から落ち着きのない子供だった。通信簿には必ず「ユニークですが落ち着きがありませんね」と書かれていた。

幼稚園に通っていた頃、埼玉県川口市しば幼稚園の園内にある巨大スピーカーから「オバＱ音頭」を大音量で流し、一人で踊り狂っていたのは私だ。ブランコに乗ってはしゃぎ、ジャンプして前にある柵を飛び越えようとしたが勢いが足らず、柵に思いきり臑《すね》をぶつけて骨折寸前になったのも私だ。公園で花火をしていて、はしゃいで走り回り、公園内にある馬の乗り物に乗って花火を片手に狂ったようにグラインドしまくっていたら、花火の灰がちょうど自分の半ズボンの隙間に入り、股間を大やけどして全治三ヶ月の診断をいただいたのも私だ。

とにかく一人のときは落ち着きがない。もちろん学校や仕事先では人見知りをする気弱な人間に早変わりしてしまうのでほとんど喋らないのだが、その反動で部屋で一人でいると、不意にはしゃいでしまうことがある。

この間も岡村靖幸の「だいすき」という曲のPVを観ながら、岡村ちゃん的なダンスの研究をし始め、その動きを習得した後も歌のモノマネを死ぬほど繰り返したり、岡村ちゃん的な節回しの喋り方で独り言を延々と呟いてみたりして、気がついたらほぼ三時間が経っていたほどである。

岡村ちゃんをよく知らないという人はぜひ一度観てみて欲しい。本当に素晴らしい詞と歌とダンスにあなたは魅了されるはずだ。岡村ちゃん……いや、私のような若輩者があんなすごい人に岡村ちゃんは失礼か。「靖幸さん」でいこう。

しかしあの靖幸さんの動きは本当に独特な動きだ。ダンスとも、ボディ・ランゲージともつかない不思議な感じ。しかし、なんというか、非常にわかる。わかるというか、自分も一人で部屋で踊るときは似た動きをしていることが多い。最近で言うと、森三中の黒沢かずこさんの動作や、松尾スズキさんがたまに舞台で見せる即興ダンス、アメリカ人ダンサー、デビッド・エルスウェアの超絶的な動きに通ずるものがある。

一般的にダンスというものは、音楽に合わせた動きを外側、つまり観ている人に向けて表現するものだ。しかし靖幸さんの動きはそれが内側に、つまり自分自身に向いているように見えた。靖幸さんの体の中でダンスが内面衝突している。素晴らしい。この人はひとりっ子だったのだろうか。非常に気になる。

ちなみに私はひとりっ子なので、昔から一人遊びが得意だった。

寄り目の練習や白目の練習を一人でずっとしていた。自分ができる限りのバカな歩き方を研究したりしていた。モンティ・パイソンに出てくるシリー・ウォークを、私は小学生の頃に自己流でマスターしていた。

今でもそうだ。一人でいるときが一番自分を出せる。一人でいるときが一番楽しい。

それにしてもだ。なんなんだろうこの貧乏ゆすり。自分の知らないどこかでストレスが溜まっているのか。嫌だなあ。でも、よく見ると貧乏ゆすりってちょっとした痙攣《けいれん》だ。痙攣はダンスであるという解釈もできる。ぷるぷるしている足をアレンジしてダンスに変化させてみる。踊りながらクローゼットを開け、一着しかないスーツ（喪服）を取り出し、背広を着てジャケットダンスをしてみる。ひとしきり踊ってパンと決めると、台所が目に入った。洗っていない食器が溜まっていた。

食器洗いか。ああ、ものすごくめんどくさい。やりたくないなあ。せっかく一人でいるんだから遊んでいたい。ダンスしたりゲームしたりマンガ読んでいたりしたい。

しかしそんなことでいいのか。私はこのエッセイで「生活をおもしろがる」という目標を立てたのではないのか。ただ連載を続けていても、生活が置いてきぼりのままだったら全く意味がない、っていうか担当の編集さんに怒られる。怒られるのは嫌だ。嫌だなあ。

よし、じゃあ食器を洗おう。

ジャケットの袖をまくり上げ、まずはスポンジに食器用洗剤を……。あれ、洗剤がない。そうだ、随分前になくなって買わなきゃと思っていたのだった。めんどくさい。えー、今から買いに行くの？

と、ぐずっていたのだが、ふと編集さんの顔が浮かんだので、コンビニまで買いに行くことにした。なんとなく気分を壊したくなかったのでジャケットは着たままだ。下はジーンズなのでコーディネート的にはぎりぎり大丈夫なはずである。

近所のファミリーマートまで小躍りしながら歩く。途中にある電信柱や、車などを使ってダンスしながら進んでゆく。幸い途中誰ともすれ違わなかったので、踊ったまま店内に入ることができた。

もちろん店内に入ったら、常識をわきまえた大人の星野源の登場だ。踊ったり落ち着きがない様子は微塵も見せず、なるべく普通の市民を装って洗剤を手に取る。このあまり似合っていないジャケット(喪服)が目立つだろうとみんなは言うだろう。しかしこれは私のささやかな反抗精神の表れだ。放っておいて欲しい。

帰り道も踊りながら走った。しかし途中でおじさんとすれ違ったので、いったん中止して大人の星野源を織り交ぜつつ帰宅した。ついでにエロ本も一緒に買ってきたことは、編集さんには内緒である。

無事に食器用洗剤を手に入れたので食器を洗う。やり始めてみると意外と気持ちがいい。なんだかいい気分になって、そのままのながれで流し全体の掃除もした。そういえば、水回りを掃除すると肌が綺麗になると聞いたことがある。明日の朝にはもう吹き出物もなくなっているのだろうか。って、それはトイレ掃除のことだっけ。と、ふとユニットバスをのぞいた。

便器の汚れが目立つな……。

私はジャケットを着たまま、トイレ掃除を始めた。もう袖をまくりすぎて、鏡に映るその姿は『シティーハンター』の主人公・冴羽獠《さえばりょう》のようである。素早く掃除を終わらせて横を見ると、そこには黴《カビ》の生え始めたシャワーカーテンがあった。

どうしよう。風呂掃除も始めるか？　しかし、原稿も書かなきゃならないし第一めんどくさい。トイレ掃除まではいいが、風呂掃除まで行ってしまうとちょっと大ごとになってくるんじゃないか。でも、なんだ、なんなんだこの胸にもやもやと立ち上ってくる後ろ向きな気持ちは。明日は休みだし、心ゆくまで掃除したらいいじゃないか。でもこのシャワーカーテンの黴は洗うよりかは買い直したほうがいいレベルだ。くそ、それはとてもめんどくさい。やめたい。今すぐやめてマンガを読みたい。お菓子食べたい。ダラダラしたい。

そうか、これが松尾スズキさんが提唱する「面倒力」の正体か。くそう、面倒力め……！　どうしよう、どうしよう……。そう悩んでいると、また編集さんの顔がふと浮かんだ。

「やー！」

気がつくと私は、シャワーカーテンを引きちぎって、ゴミ箱に投げていた。シャワーカーテンは明日東急ハンズにでも買いに行こう。とりあえず、風呂掃除だ。

服が濡れてしまうので裸でやるべきだろうと思い、全裸になって掃除を開始した。しかし、気分を出したかったのでジャケットだけは着た。全裸にジャケット（喪服）一枚着用。この奇妙な組み合わせに、私の心はときめいた。一心不乱に風呂を磨き続ける。徐々に濡れてゆくジャケット。私はなんだか気持ちが盛り上がってしまい、いっそのこと、全部濡れるがいいさと、上からシャワーを浴びてしまった。ずぶ濡れで素肌にジャケット（喪服）一枚で風呂を磨き続ける。さながら私は汗だくで歌う、フレディ・マーキュリーのようだった。

ピンポーン。

……チャイムだ。玄関のチャイムが鳴った。誰だろうこんな時間に。宅配便か？　いやまさか、もう夜の九時だぞ。

夜の九時……？

しまった、宅配便だった！　先日出演した舞台の地方公演の楽屋で使っていた小物やジャージ類を段ボールにつめて自宅宛に送り、それを今夜九時に受け取るようにしていたんだった。すっかり忘れてた。

どうしよう、このまま出るか？　いや、このまま出て行ったらさすがにパンクすぎるだろう。何せ裸のうえにジャケット着用、さらに袖をまくり上げ、おまけにずぶ濡れなのである。反抗心もここまでいったら逮捕だ。やめよう。ここは不在通知を置いて帰ってもらうまで静かにしていよう。

ピンポーン。

……。

ピンポーン。

……。


間。


……行ってくれたようだ。

ああ、今日もあのお兄さんなんだろうな。いつも来てくれる配達員のお兄さんのしょっぱい顔が目に浮かぶ。私が常に仕事で家にいないので、日に日に不在通知に書いてある「荷物預かっています」の文字が乱暴になっていくお兄さん。たまたま家にいたので玄関を開けると、「いるの⁉」と驚いた顔をした直後、ものすごくしょっぱい顔をして「はあああ今日はいるんですねお届けものですう」と、ため息から始めるあのお兄さん。ごめん、本当にごめん。だっておれ今、スパーク状態だから。

そうこうしているうちに風呂掃除が終了した。ずぶ濡れついでにシャワーも浴びた。なんという爽快感だ。掃除もした上に体までキレイさっぱりだ。

私は全裸のまま、ベッドに勢いをつけて飛び込んだ。あー気持ちがいい。やっぱり掃除はいいなあ。そう思いながら仰向けになり、深呼吸をすると、そこには尋常でない数のほこりが舞っていた。びっくりしてむせてしまい、ゲホゲホ言いながら、流れるように掃除機を取り出し、コンセントにつなげて呟いた。

「今日は眠らせねえぞコノヤロー」

そして結局、私は次の日の朝まで大掃除をした。ついでだから洗濯もした。ぐしょぐしょのジャケットはある程度ドライヤーで乾かしてから、クリーニング屋さんに持っていった。全部が終わって、ほっと一息ついてベッドに座った。

ふと足を見ると、貧乏ゆすりが止まっていた。

今頃、宅配便のお兄さんは貧乏ゆすりをしているだろうか。再配達申し込みの電話を入れなきゃ、と思った。

箸選びはつづく

ずっと使っていたお箸が折れた。

前の前に住んでいた家の近くにある西友の二階で買った、安くも高くもない普通の茶色いお箸であった。

そのとき一緒に買った木のお椀は早々にボロボロになってしまい、前の家に引っ越す際に新しいものに変えた。しかしそのお箸は随分と長持ちしてくれて、テイクアウトした吉野家の牛丼を食べていて、肉と一緒に箸先を噛んで折れてしまったつい先日まで、同じものをずっと使い続けていた。

別に強い思い入れがあったわけではないし、逆にお箸自体にまったくこだわりがなかったため、すぐに新しいものを買いに行くことにした。

私も歳をとり、昔より稼ぎも多少は増えた。どうでもいいと思っているお箸一つとっても、今度はスーパーではなくもっと種類のありそうな場所にあるちゃんとしたものを買いに行こう。そう思って電車に乗り、池袋のロフトに向かった。

しかし着いて早々、私はお箸売り場でうずくまってしまうのだった。

全然しっくり来ない。

どの箸も、なんだか綺麗で気に食わない。気がつくと折れてしまった箸と似たデザインのものを探してしまう。いかんいかんと思い、まったく違う形のものを手に取ってみるが、丸いのはツルツル滑りそうだし四角いのは角がきつくて持つだけで痛かったりする。どうも手に馴染まない。安いものから高級なものまでたくさん種類はあるのに、使いたいと思えるものが一つもない。

迷った私は、結局何も買わずにロフトを後にし、家の近所にあるスーパーでお徳用の割り箸セット（五十膳入り）をとりあえず買い、帰った。

ものすごい敗北感。いや、敗北感というよりは失恋にも似た気持ちだ。

あんなにどうでもいいと思っていたお箸なのに、私はいつの間にか虜《とりこ》になっていたようである。

「ずるい、ずるいわ。うち遊びのつもりやったのに。はじめはあんたのほうから好きになったんやで。うちの好きより、あんたの好きのほうが大きかった。せやけど、あんたに抱かれてるうちにうちの好きのほうが大きくなっていってん。うち、あんたなしじゃあ生きていかれへん体になってしもうたんや。なんで？　なんでなん？　ずるいずるい、うちのほうが上やったのに。上やったのに」

そんな気分である。

やしきたかじんの歌詞に出てくる女の人みたいになっている自分に驚きつつも、ゴミ袋に入れて捨ててしまったあのお箸に想いを馳せる。どうでもよかったのに、なぜなくなったときからその印象をより色濃くしたのか。

おそらくそれは、あのお箸が自分の生活にしっかりと馴染み、体の一部のようになっていたからだろう。そしてそれを失った私は、自然と体と精神に欠落を感じ、どうでもよいと思っていたレベルに反比例して生まれた違和感に、戸惑ったのだ。

そういえばこの間、ちん毛を剃ったんですけど、

あ、ちょっと待って。

本を閉じないでください。ちゃんと理由ならあるんです。まあまあ、確かに私はそこ

そこの変態だけれども、だからといってただ闇雲《やみくも》に陰毛を剃ってしまうほど純度の高い変態じゃあないし、無目的に陰毛を剃った話をしたいわけじゃない。

先日、映画の現場でベッドシーンの撮影があり、そこで私も相手役の女優さんも全裸にならなければならず、いわゆる前貼り（ちんちんやまんまんを相手やスタッフに見えないように隠す布のこと）をして演技をしなくてはならなかったのである（ちなみにまんまんとは私が「男性がちんちんなら、女性はまんまんだろう」という理論のもとに提唱した、女性器の新しい呼び名である）。

ものすごく焦った。今まで役者をやってきてこんなに本格的なベッドシーンは初めてだ。しかも主演女優さんの相手という準主演級の大きい役だったため、失敗は絶対に許されない。

「うまくできなかったらどうしよう」と不安になった私は、事前に先輩俳優のSさんに相談をしてみることにした。

「ベッドシーンを撮るときに気をつけておくべきことはありますか？」

すると、Sさんからこんな答えが返ってきたのである。

「前貼りは粘着力の強いテープで貼ることが多いから、剝がすときに大量の毛を持っていかれるのね。それがもう地獄のように痛いわけ。だから毛は全部剃ってから撮影に臨んだほうがいいよ」

なるほど。

というわけで剃った。テープはお尻の穴までくるぞ、との助言もいただいたので、お尻の毛まで完璧に剃った。「これは仕事だ」と念仏のように呟きながら剃った。そうでないと羞恥心と自分のしている行為のバカっぽさに負けて、心が折れてしまいそうだったからだ。仕事のためである。別に好きで剃るわけじゃあないのである。

それから三日後。なんだかんだでベッドシーンの撮影は無事に終了し、映画全体の撮影もその日にクランクアップした。翌日、何事もなかったように普通の生活に戻ったのだが、そこで撮影中には気にならなかったあることに気づいた。

もう、とにかく股間が気持ち悪い。

あるべき所に毛がないというだけで、こんなにも居心地が悪いものなのか。座っていても立っていても落ち着かない。歩き方もなんだか〝ゆうたろう〟みたいな歩き方というか、ロバート・デ・ニーロの物まねをする人の歩き方というか、ガニ股ともバレリーナとも取れないような不思議な歩き方に自然となってしまう。

私はゆうたろうのように眉間にしわを寄せて歩きながら、おそらくこの気持ち悪さの秘密は汗にあるのだろうと推測した。

それまでは陰毛があったためにまったく気づかなかったのだが、股間はずいぶんと汗をかくのだ。そして毛がないことによって、歩いたり姿勢を変えたりするたびに肌どうしがペタペタとくっつき、徐々に蒸れ始め、しまいには擦れ合ってかぶれてしまうのである。

お風呂などで拝見するたびに「うっとおしいなあ」と思っていた陰毛だが、日々の動作を助けるという重要な役割を彼は担っていたのだ。

私は彼が居なくなって初めて、その大切さに気づいたのである。

「うち、どうしたんやろ。あんたの残したタバコが捨てられへんねや。あんたの匂いが残ったタオル、忘れていった革ジャン、全部捨てられへんねんで。全部あんたが出て行ってから急に大事になってきてん。あんな甲斐性なしもう懲り懲りや思うてたのに。あんたが居なくなってから、うちの好きがどんどん膨れ上がっていってどうしようもないねん。女はドライで切り捨て上手って言うけど、あれは、嘘やでほんま（笑）。やっぱり忘れられへん。うちが下でもええ。もう、うちが上じゃなくてもええねん。うちの……完敗や」

たかじん的に言うと、そんな気分である。

そして私はその後、生え始めた鋭い陰毛がチクチク刺さるという新たな苦痛に悩まされることになり、よりいっそう彼が恋しくなった。

韓国では陰毛専用の美容院もあると聞いた。昔だったらバカにしていただろうが、今なら大きくうなずける。縮れているからといって侮るなかれだ。


さて、話はお箸に戻る。

結局大量の割り箸を買って帰った私は、とりあえずそれを使い続けていた。

これが非常に使いづらい。使いづらい上に角が指に当たって痛いし、このご時世で大量の割り箸を毎回使い捨てるというのはけっこう環境破壊をしている気持ちにもなるので、すごく後ろめたい。

しかし怖いのは、その使いづらさも含めてもう慣れてしまったという事実だ。前のお箸のことも思い出さなくなってしまった。いつの間にか、もう今後一生割り箸でもいいんじゃないかと思うようになっていた。

「初めはあんたのことうっとおしいと思っててん、正直な話（笑）。うちの家にムリヤリ転がり込んできてな、働け言うてんのに働けへんし。でもあんた、ナイフみたいに尖ってるやん？　よう断り切れんかったんや。怖いし。でも、あんたがうちの誕生日にケーキ買うてきてくれたとき、感動したんや。ほんま不器用で荒々しいんやけど、いつの間にか……好きになってたんやね」

もはや、たかじん的ですらなくなってしまったが、まあそんな感じである。

でもよくよく考えてみると、割り箸でもすぐに慣れるってことはロフトに並んでいる高級なお箸でも日々無理矢理使っていたら、自然と愛着がわいてくるんじゃないか。

そりゃそうだ。確かにそっちのほうがこのまま割り箸を使い続けるよりかは絶対にいい。なんでこんな簡単なことに今まで気づかなかったんだろう。私は早速電車に乗り、池袋のロフトに向かった。

大量のお箸を前に私は立ち尽くす。やはりたくさんありすぎて選べない。ちゃんとしたお箸を買うということに対して、イマイチ前向きになれない自分もいる。貧乏性なのだろうか。たかが箸に二千円や三千円もお金を使っていていいのかという気持ちがムクムクとわき上がってきて、手が伸びない。

どうしよう。やはりこのまま帰って近所のスーパーで昔のように安いお箸を買おうか。

それともまだ残っている割り箸を使おうか。うーん……。

「ミャアアアアア！」

軽いノイローゼ状態になった私が頭を抱えながらその場を去ろうとすると、ふと横目に入るものがあった。

高級ギフト箸。九千八百円也。

私はつい立ち止まってしまった。

なんだこれは。高級すぎるだろう。お箸に一万円も出すバカがどこにいるのか。

それは漆塗りで、持つ所に銀の模様の入った厳《おごそ》かな雰囲気のする黒いお箸で、見るからに重そうで使いづらそうだった。こんなの絶対欲しくない。一万円もするお箸でお持ち帰りの牛丼を食べても、絶対に美味しく感じないだろう。

しかし無理矢理にでもこれを買って毎日使った場合、割り箸や安いお箸のように生活に慣れてくるんだろうか、ということには多少興味はある。

一万円か……逆に……安いかもな。

まったく独自の解釈をしながら財布を確認すると、そこには大きめの紙幣が一枚と小さめの紙幣が一枚入っていた。

一万一千円。

うわー、丁度あるっていうじゃん。

私は闇雲にその高級箸を掴み、レジに突き出した。


三時間後。

私はMXテレビを観ながら、一万円の箸を使って吉野家の牛丼を食べていた。

なぜこうなってしまったのかわからない。そして、なぜこんな内容の原稿になってしまったのかもわからない。とりあえず一万円のお箸でも、五十膳で二百円の割り箸でも、牛丼の味は変わらずとても美味しいということはわかった。

でもやっぱり落ち着かないな。

明日にでも、近所のスーパーに普通のお箸を買いに行こう。


「……うち、今ほんまに幸せや。若い頃はそりゃもう、ほんっとにいろんな経験したで。悪い男に捕まったり、自分見失ってナイフみたいな男のこと信じたり、ブッサイクな成金に手ぇ出したり。でも、やっぱりそういうあかん時期を経て、人間は成長していくんやな。幼なじみのあんたと、まさか結婚するとは思わへんかったわ。あんた特徴ないから、普通すぎて今まで意識できんかったけどな（笑）。やっぱり、普通が一番なんやね」

部屋探しはつづく

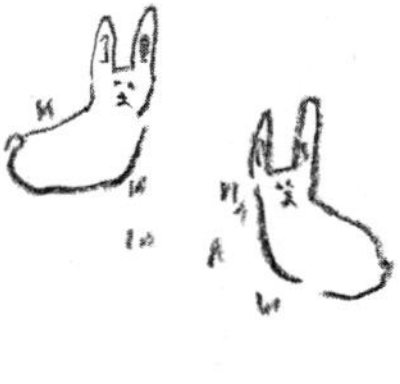

引っ越しをすることにした。

今の家に不満があるとか、契約更新が迫っているとかそういうわけではなく、ただなんとなく引っ越しがしたくなった。

もう、ランドリールームがある今のマンションとはおさらばだ。

ふと気がつくと、なぜか窓際に大量の羽虫の死骸が落ちているこのマンションとはもう完全におさらばである。

しかしあの大量の羽虫は一体どこから来るのか。内見に来たときから「なんか窓の下に虫の死骸があるなあ」とは思っていたので私が入居したせいではないだろうが、それにしてもわからない。きっと建物のどこかに羽虫さんたちの住居があり、そこがこの部屋とどこか通じているんだろう。そして、迷い込んで帰り道がわからなくなってしまった羽虫さんは、庭が見える窓を外だと勘違いし、ガラスに何度も激突してそのショックで死んでしまったんだろう。

しかしそんなマンションとも、もうすぐお別れだ。

あと、どんどんフローリングが剝がれてきて、ほぼベニヤ板みたいな感触の床になってしまったこのマンションともお別れである。

そもそもあれなんで剝がれるのか。あのフローリングは腐っていたのか？　確かに内見に来たときから、ちょっと黒ずんで腐ってる風な箇所があったような気がしないでもないが、それにしても剝がれるなんて異常だ。別に床の上でタップダンスしたり、フローリングの板と板の隙間の凹凸とペペローションを利用した、実に巧妙でアクロバティックなオナニーをしたわけでもないのに。

ていうかなんだそのオナニー。すごく嫌。

しかしながら、そんな素晴らしいこのマンションにも、とうとうさようならを言わなければならない時期が来たようだ。

あと、ていうか前から思ってたんだけど、物件選びのときに「この物件はいま流行りのオール電化ですよ」って薦めるのはいいけど、実際入居してみたら湯沸かし器も〝水を溜めてから電気で沸かす〟式のもので、でっかい貯水タンクが部屋の中にあって非常に邪魔だし、シャワーを浴びているとすぐにお湯が切れて一瞬で真水になるという、お湯に限りがあるコインシャワーみたいな感じは〝いま流行りのオール電化〟としてどうなのか。しかも、最近わかったのだがなぜか備え付けの電気コンロのスイッチを入れると、部屋全体のブレーカーが落ちるのである。

どういうことだ！

お湯も沸かせねえよ！

その日私はなんとなく入った不動産屋で、非常にいい感じの物件を見つけた。さっそく内見させてもらったのだがとても素敵な部屋で、日当たりはいいし、ベランダから見える景色も綺麗、フローリングも丈夫そうだったし、オール電化でなく湯沸かし器もしっかりしていて、そして何より窓際で羽虫が死んでいなかった。

即決で契約することにし、私は不動産屋に戻った。すると、茶髪の若い男性店員（FUJIWARAのフジモン似）が、神妙な顔でこう言うのである。

「すいません星野さま、つかぬことをお訊きしますが、ご職業は？」

しょくぎょう？

「はい。これから審査に入りますので」

私は言葉に詰まった。

そうだ。契約するといっても、部屋を借りるためにはまず審査というものがあり、借主は家賃を払えるほどの給料をもらっているか、しっかりした職業に就いているかを訊かれ、そこでこの物件にふさわしい人間かどうかを判断されるんだった。

どうしよう。なんて言ったらいいかわからず焦った。

私には、職業がいくつかある。

役者業。

音楽業。

文筆業。

映像制作業。

どれも収入が不安定そうな職業ばかりだ。

すべてをなんとなく同時進行させ、いつも忙しく働いているおかげでとりあえず収入は安定しているけど、こういった芸能仕事は一見チャラチャラとした〝夢みがち〟な職業だという見方もあるだろうし、これらの仕事をこのタイミングで口に出してみても、少し説得力に欠けてしまう気がする。

しかし実際はそんな生半可な仕事ではなく、役者一つとってみても、サラリーマンのように（歩合だが）与えられた仕事をキチンとこなさなければいけないし、ときには待っているだけではなく自分で仕事を摑んでいかなければならないし、自分のちょっとした失敗が所属している会社にダイレクトに影響を及ぼすという、とてもハイリスクで責任の重い、いわゆる会社員と変わらない性質を持っているのだ。

ちなみに私が役者として所属する事務所はとても厳しく、遅刻なんかした日には重い懲罰が与えられるのでとっても怖い。また音楽にしても、私が組んでいるバンドは自分が中心になって動いているので、バンドでの責任＝自分の責任なのであり、そのプレッシャーは割と重く、所属しているレーベルがメジャーではなくインディーズの会社なので権利関係も勉強しなければいけないし、音楽業界って悪い人間がほんっとうに山ほどいるので常に騙《だま》されないよう身構えていなければならないし、とてもじゃないけど「ノーミュージック・ノーライフ」みたいな、「音楽があればいい」みたいな素敵な気分にはなかなかなれるものではなく、私の頭の中はいつも、「ノーワーク・ノーマネー・ノーライフ」という言葉でいっぱいなのである。

しかし、私くらいの歳の人間でこういった仕事を目指している貧乏人はいくらでもいる。むしろそっちのほうが多いはずだ。

こうして悩んでいる間も、フジモンの顔つきは強《こわ》ばっていくばかりだ。ここで黙っていると自然と「無職」という形になってしまうので、とりあえず答えてみることにした。

「えーと……いろいろあるんですけど」

私がそう言うと、フジモンがすかさず言った。

「いろいろ？　いろいろってなんですか⁉」

予想外に大きい声を出してリアクションをするフジモンに驚いてしまい、私は何も言えなくなった。まずい。他の店員さんがこっちを怪訝《けげん》そうに見ている。店全体の雰囲気が、「この客、もしかしてフリーターか？」という気まずいものになりつつある。

早く答えなければ。フリーターと思われてはかなり不利だ。しかし、どの仕事を言えば一番契約に有利なのか非常に迷うところだ。いや、でも別に答えを一つにしぼることもないんじゃないか？　職業が二つあったっていいし、もしかしたらそのほうが貸す側としては収入源が多いぶん、安心する部分もあるかもしれない。

そんなことを考えてふと顔を上げると、フジモンの顔がどんどん黒ずんでいることに気づいた。もはや松崎しげる級の黒ずみである。まずい、早く答えなければ。このままではフジモンはいずれ黒人になってしまうだろう。なぜどんどん黒ずんでしまうのかその仕組みはわからないが、私はとりあえずありのままに自分の職業を答えてみることにした。

「えーと、役者とバンドを同時にやってまして、あと、たまに文章書いたり、PVを撮ったりする仕事もしてます」

するとと黒ずんだフジモンは、目を大きく開いて言った。

「え！　役者とバンドやって、文章書いたり、PV撮ったりもするんですか⁉」

だから声が大きいよフジモン。あと全部オウム返しだよフジモン。


昔から、何かと一つにしぼれない子供だった。

『舌切り雀』の話を読むときはいつも、「なんで大きいつづらと小さいつづらのどちらか一つしか選んじゃいけないのか」と思っていたし、マクドナルドのハッピーセットについてくるおまけのオモチャも「全部欲しいよ」と言って、よく親に怒られた。

その癖は大人になってもあまり変わらなかった。やりたいものはやりたいし、欲しいものは全部欲しい。それが変なことだとは特に思っていなかった。だから、音楽と芝居をやり始めたときも、周りから止められてびっくりしたのである。

「どっちかに絞ったほうがいいよ。こういう世界で二足のわらじを履いちゃダメ」

母親にも言われた。

「あんた不器用だしいつも片手間になるんだから。二兎を追うものは一兎をも得ずって言うでしょ」

まったくその通りだと思う。

でも、いつもそこでふと考えてしまうのは、一足のわらじを履く人より、二足のわらじを履く人のほうがおもしろくないか？　ということだった。

だって現実的に考えたら「わらじの上にさらにまたわらじを履く」なんて、すごく難しいと思うけど、それをやれる人がいたら見てみたいし、素早く別方向に逃げる二匹のうさぎを一人で捕まえるなんていうのも現実的に考えたら無理な話だけど、それをなんとかして二匹とも捕まえられちゃったら本当にすごいじゃないか。

もちろんどちらもありえない話だとは思うけど、絶対無理ってみんなが言うようなことをなんとか努力してやろうとして、もしできたりしたらそっちのほうがおもしろくない？　なんでみんなそれをやんないんだろう？

と、いつも思っていた。素朴な疑問である。

あと、昔は「源ちゃんは役者より音楽のほうが才能あるから、役者やめて音楽に専念したほうがいいよ」とよく言われていたし、「文章の才能もあんまりないんだからもうやめなよ」ともよく言われた。これも確かにその通りだとは思う。

でも、もちろん役者の才能も文章の才能も特にないのはわかってたけど、わかってるからこそやれるようになりたいし、上手くできないことだからこそ憧れるわけで。最初からもし上手くできたらそれはそれでいいのかもしれないが、やれなかったことができるようになったらそれはすごいことだし、実はそっちのほうがおもしろいんじゃないかと思う。

小さい頃から『ブルース・ブラザース』という映画が好きだった。

ブルース、ソウル、ゴスペルなどのブラックミュージックが満載のミュージカル映画であり、下ネタやスラップスティックなギャグが中心のコメディ映画でもある。

犯罪を繰り返しては刑務所に入れられていた元バンドマンの二人が、かつて自分たちが育てられ、今は資金不足のために立ち退きを命じられてしまった孤児院を救うため、バンドを再結成して金を集めるというストーリーだ。

私は大人になった今でもこの映画が大好きで、事あるごとに繰り返し観てしまう。

音楽。踊り。馬鹿馬鹿しいアクション。毒のある笑い。エロ。人間の悲しさ、面白さ。いろんなジャンルのエンターテインメントがたくさん詰め込まれている。普通はどれか一つの要素を際立たせるために別の要素を控えめにしたりするのだが、この映画はそれをまったくしていない。常に様々な要素がぐちゃぐちゃと出てくる。どれも諦めていない。全部の要素がお互いにいい影響を与えあっている。

ジョン・ベルーシと共に主演を務めるダン・エイクロイドは、この映画で歌い、踊り、楽器を演奏し、芝居もやって、さらに脚本まで書いている。そんな何足ものわらじを履いておきながら、こんなにすごい映画を作ったダン・エイクロイドは私の憧れだ。この映画の影響かどうかはわからないが、私は昔から何かを得るために何かを諦めるということが苦手で、そのための努力の仕方もあまりよく知らない。

その後、フジモンに詳しく自分の仕事の内容を説明しつつ事務所の先輩に宮藤官九郎さんがいると言うと、話を聞いていた店長さんがスッと出てきて「私、宮藤さんのドラマよく観るんですよ。有名な方がいる事務所さんなんで大丈夫でしょう」と話を進めてくれて、結果うまいこと契約まで漕ぎ着けることができた。

私は宮藤さんのおかげで、無事に引っ越すことができたのである。

間接的に私の人生を支えてくれた宮藤さんは、皆さんご存知の通り役者をやり、バンドをやり、脚本を書き、それらの全てが成功している一番身近なダン・エイクロイド的な人だ。ということに書いてていま気がついた。

「え！　役者とバンドやって、文章書いたり、ＰＶ撮ったりもするんですか⁉」

大きい声でそう言われ、しまった、節操がない人だと思われちゃったかな、と自分の仕事を正直に言ってしまったことを後悔していると、フジモンは黒ずみながら笑顔でこう言った。

「すごいじゃないですか」

ビシャビシャはつづく

どういうわけか洗面台がビシャビシャになるんです。

こんな相談を、雑誌で一緒に連載対談をしている細野晴臣さんにしてみたところ、「気にしないのが一番だよ」とのお答えをいただいたので、気にしないでいたらどんどん洗面台がビシャビシャになる一方だ。

昼頃、起きてまず顔を洗うのだけど、驚くのは水を出す前の時点で洗面台はもう既にビシャビシャなのである。おそらく前日の夜に歯を磨いたときにまき散らしてしまった水滴が残っているんだろう、と横にあったタオルでそれをきれいに拭く。そして満を持して顔を洗うのだが、サッパリした気持ちで顔を上げるともう目の前の鏡から洗面台のまわりから足下の床までビシャビシャなのである。

さすがにこれはどうかと思いもう一度、なるべく飛び散らないようにそっと、水量も

少なめに、内股で、なんとなく体を小さくして顔を洗ってみるが、やっぱりというかなんというか、今度はなぜか自分の後ろにまで水滴が飛んでいる始末で、ここまでいくと水に意識があって私に嫌がらせをしているとしか思えない。

私がビシャらせてしまうのは、なにも洗面台の水道だけに留まらない。

おしっこ

ミートソース

小籠包の中の汁

刺身醤油

カレー

うんちさん

食べものを食べた後のものでサンドしてしまって申し訳なかったが、私は水に限らずこのようないろいろなものをビシャらせてしまう才能がある。

刺身醤油や小籠包は、どんなに気をつけていても着ているシャツの胸元にいつも飛び散ってしまうし、カレーなんかもう目の前のテーブルに置かれた瞬間、まだ一口も食べていないのに、置かれた衝撃で衣服にルーが飛んできたこともある。また、そういうときに限って必ずシャツ（白）を着て行ってしまう自分の才能にも脱帽である。

あと、以前イタリア料理屋で食事してから帰宅し、洗濯をしようとして穿《は》いていたジーンズを脱いだらなぜか膝の後ろの部分にトマトソースが付いていたことがあったり、電車の中でくしゃみをしたら、自分の真横に立っていた知人につばを飛ばしてしまって驚かれたこともある。

なぜそんな所に飛んでしまうのか自分でも不思議だが、ただビシャらせるだけではなく、予想外の方向に飛ばしてしまうという才能も私は持ち合わせているらしい。

あと鍋料理を食べていてお椀に具をよそうときも、必ずと言っていいほど鍋とお椀の隙間からスープがテーブルにこぼれ落ちる。

「鍋の上でよそえ」という意見もあるだろうが、気をつけてこぼさないように鍋の上でよそっても、実際食事が終わってみると見事にテーブルの上はビシャビシャになっているし、もちろんそのとき偶然着ていた白いシャツにもべったりついている。

こうなってくると事態はかなり深刻である。

残された唯一の解決方法は、顔を洗わずにいること、水分が多いものを食べないこと、あらゆる排泄をしないことしかない。これはもう絶望的と言ってもいいんじゃないか。もはや「洗面台ビシャ男《お》」という名前に改名してもいいくらいである。

おそらく私は、このやっかいな才能と一生付き合っていかなければならない。

無意識に人を傷つけてしまうことがある。

悪気もなく、自分は全くそんなこと思ってもいないのに、相手にとってはトラウマになるほどのショックを与えるような発言をしたり、態度をとってしまったりする。

以前、昔組んでいたバンドのメンバーと久しぶりに再会したとき、活動していた当時の話をしていたらこんなことを言われた。

「バンド練習の最中に俺が『こうしたらいいんじゃない？』って意見したことがあってね、そしたら星野くんが鼻で笑って無視したんだよ。それがもうすごい傷ついてさあ。あれから、俺バンドの中で意見できなくなっちゃったんだよ。覚えてる？」

覚えてない。

ていうかそんなひどい態度をとった記憶は全くないし、そのメンバーはとてもセンスのある人だったので、その人の意見を否定する意味もわからない。鼻で笑うなんて昼ドラの悪役がするようなこと、恥ずかしくてとてもじゃないけどできないし、おそらくこれは全くの誤解で、ただ鼻をフンフンやりながらボーッとして話を聞いていなかっただけなんじゃないだろうか。まあそれもどうかと思うけど。

しかし意識的でないとはいえ、彼に深い傷を残してしまったことには変わりない。彼はたまたま傷つけられたことを告白してくれたけど、普通はそんなこと言ってくれない人がほとんどだろう。今まで気づいていないだけで、私に傷つけられたという人は実はもっとたくさんいるのかもしれない。

そしてその人たちが夜な夜な、私が無意識に発してしまったであろうひどい言葉を思い出して、激しく落ち込んだりしていると思うとぞっとする。

人間の無意識というものは、場合によってはその人の人生を狂わす可能性のある、とても恐ろしいものなのだ。

しかし、悪い部分ばかりというわけでもない。

たとえば仕事先から家まで帰るときに、本やマンガを読みながら電車に乗り、階段を使い、乗り換えの移動をする間も読むのに夢中で一度も顔を上げず、気がついたら家だったということがたまにある。いつの間にか目の前に現れた自宅を見ていると、無意識も捨てたもんじゃないなあと思ってしまう。

サケロックで「昭和報われない音頭」という曲を作っていたとき、メンバーと共同で行っていた作詞作業が煮詰まってしまい、二番以降の歌詞が一向にできないので家に持ち帰り、布団に入ってうつぶせの状態でノートに詞を書こうとするのだが全く進まず、深夜までうんうん唸りながら書いて消してを繰り返していたらいつの間にか眠ってしまい、次の日ハッと起きてノートを見ると詞がフルコーラス完成していたことがあった。もちろん身に覚えのない歌詞である。デタラメな言葉の羅列ではなく、ちゃんと詞として成立していたので驚いた。しかもそれが割とよかったので、結局そのまま採用してしまった。

操作こそできないものの、無意識の自分にもおもしろい部分はある。

話は変わるが、高校生の頃、息を止めていて気絶したことがある。

友達に「おじぎの姿勢で十秒息を止めてれば肺活量がかなり増えるよ」との助言をいただき、自分の部屋で一人で息を止めていたら、七秒数えたあたりでそのまま気絶してしまった。

気づいたときには目の前は真っ白で、段々とその霧のようなものが晴れていくにつれて、ぼんやりと前が見えるようになり、そして完全に意識が戻ると、私はなぜかパチパチとテレビのチャンネルを変えていたのだ。

「源！　どうしたの⁉」

居間から母親の叫び声が聞こえた。

どうしたんだろう。ふりむくと、部屋のドアが外れて廊下に倒れていた。しばらく頭の中は「？」でいっぱいだった。

よくよく考えてみるに、私はおそらくおじぎした状態で気絶し、そのまま真後ろに倒れ、丁度真後ろにあったドアに頭から激突し、その衝撃でドアが外れて廊下に倒れ、その音の大きさに親は驚き、そして私は無意識のまま立ちあがり、なぜかテレビのチャンネルを変えていたのだろう。

母親が駆けつけてきた頃にはもうずいぶん冷静になっていて、別にどこも痛くないし怪我《けが》もしていなかったので、事態の異常さと滑稽さに笑ってしまった。

でも不思議だったのは、本を読みながら帰宅したときも、起きたら詞が出来上がっていたときも、気絶してしまったときも全て、無意識な自分から覚めた瞬間、なんだかスッキリして気持ちがよかったということだ。

一度眠ると小さい悩み事はすっかり忘れてしまうように、無意識になることで現実の問題を乗り越えたり整理したりする効果が、もしかしたらあるのかもしれない。

私が無意識に洗面台をビシャビシャにしてしまうのは何か意味があるんだろうか。気をつけてもなかなか直らない、というところに無意識の自分からの警告のようなものを感じる。もしかしたら、ところどころで顔を出す無意識の自分は実は全部繋がっていて、意識のある私とは別のもう一つの人格があるのかもしれない。

ということは、無意識に人を傷つけることがなくなれば、洗面台をビシャビシャにすることもなくなるのではないか？　そうすればおのずと無意識も成長し、鍋の汁もこぼさなくなり、おしっこで便器の周りを汚さないで済むはずだ。

逆に言うと、トマトソースのスパゲティーを飛び散らないように食べることができれば、人を傷つけることもなくなるということではないのか。

これは大発見だ。無意識人格改造計画である。

さっそく、仕事仲間Kとの打ち合わせ時に喫茶店に入り、ミートソースを注文して食べてみることにした。

ゆっくりと、フォークに麺を絡ませ、またものすごくゆっくりと口に運ぶ。よし、全然飛び散っていないぞ。いつもは十分ほどで平らげてしまうスパゲティーだが、全身全霊をかけてゆっくり食べているため、気がつくと二十分が経過していた。

超スローで食べている私を見て怪訝に思ったKが口を開いた。

「なにやってんですか」

なにって。無意識人格改造計画です。

私はこれまでの経緯を説明した。このスパゲティーがこぼさずに食べられれば、もう人を傷つけなくて済むんだと熱く力説した。

するとしばらくうなずいていたKがこう言うのだ。

「違いますよ。それ、星野さんが子供だからですよ」

え？

「子供だからご飯もこぼすし、洗面台もビシャビシャにするし、おしっこだって子供だから便器サイズに収まらずに周りを汚しちゃうんですよ。息止めて気絶ってあなた、それただのバカな子供じゃないですか。無意識に人格なんかあるわけないでしょう。あとそういうのは、無意識じゃなくて無自覚っていうんです。無自覚に人を傷つけるなんてダメな大人がやることですよ。星野さん早くちゃんとした大人になってください。確定申告やりましたか？」

やってないです。

「……ちょっとなにやってんですか！　もう二月末ですよ!?　うだうだ言ってないで確定申告やってください！」

ごめんなさい。

ぐうの音も出ない。

子供か。たしかにそうだ。
「洗面台ビシャ男」とか言ってる時点で子供だもんなあ。
ああ、確定申告やんなきゃ。

ばかはつづく

九九の後半ができない。
うちは八百屋だったので、子供の頃手伝いをしているときに培った小銭のやりとりのおかげもあり、ちょっとした暗算なら今でもすらっとできる。
しかし、九九となると話は別だ。七の段くらいから少し怪しくなり始め、九の段はもう賭けというか当てずっぽうというか、たしかニュアンス的にこの数字だったかな、という少ない確証のもと、答えを出しては間違える。
足し算引き算は普通にできて、分数の足し算までは何とかなるけど、分数の引き算と掛け算と割り算がもうダメ。あと普通の割り算のあの、なんていうか、数式？　じゃないや、あの、計算しやすい書き方あるじゃないですか。人の横顔の髪の毛みたいなの書いてやるやつ。あれのやり方も、もうすっかり忘れた。

あとxとかyの使い方、台形の面積の求め方など、算数や数学と名のつくものはある程度しっかり習ったにもかかわらず、ほとんど思い出せない。

数学だけでなく歴史も本当に疎《うと》く、大化の改新の意味も知らないし、武将の名前もほとんど言えない。日本地図だって描けないし、社会の時間に習ったことは全部、すっかり頭から消えてなくなってしまった。

でも、小学校四年生の社会の授業で担任の先生に「二人に手紙を書きましょう」と言われ、当時湾岸戦争で戦っていたフセインとブッシュに手紙を書かされたことは覚えている。しかも当時、なぜか牛乳のパックを開いて乾かしたものをはがきサイズに切ったものにそれを書かされた。リサイクルとか、エコロジーという言葉が流行り始めた頃だった気がする。

「せんそうをやめてください、って自分なりの言葉で書くのよ」

何を書いたらいいのかわからないので先生に訊くと、そう答えが返ってきた。

とりあえず書いて、先生に渡した。

「このはがきは先生が責任を持って、二人に届けますからね」

社会の時間に習ったことはもう覚えていないが、大人は平気で人を騙す、ということを私はそのとき学んだ。

そして漢字に関しては、もう「全部書けない」と言っても過言ではないほどに書けない。あと読めない。「老舗」を「ろうほ」と読んでしまうし、「鯖」を「みこし」と読んでしまう。なぜ「みこし」か、と自分でも思う。さかなへんがあるでしょう左側に。間違って定着してしまったのだとは思うが、ニュアンスでものを言うにもほどがある。こうやって冷静に考えると自分の脳内の仕組みがわけわからない。

あと絵も異常に下手だ。

犬や猫、鳥などの動物を描くと、決まって下半身が液状になってしまう。自分でも不思議なのだが、頭の中のビジョンを忠実に再現しようとすると、最終的になぜか下半身が液状になる。美術の時間に私は何を学んでいたのか。

さらに、以前F1カーを描いたら掃除機になってしまったことがあったり、『ドラゴンボール』の孫悟空を描いたら植物のアロエになってしまったこともある。どれも真剣な気持ちでやっていてもこうなってしまうのだから、もう逆に愉快ですらあるし、人に自慢したいくらいではある。

それに、音楽を職業にしているにもかかわらず楽譜も読めないし書けない。でも頑張れば楽典を見て、人に訊いたりしながら一ページ二時間くらいかかって書けたりもするのだが、そんなの面倒でやってられない。音楽の時間に習ったことは、今の音楽活動にはあまり役立っていない。

つまり私は、学校で勉強したことはもうほぼ全部忘れてしまっているのだ。覚えていることと言えば日本語の授業で「擬音」の別名が「オノマトペ」だと教わったことと、理科の時間に教わった「リンスは頭皮によくない」ということの二つだけである。

そこら辺にいる小学一年生と学力対決したら、絶対に負ける自信がある。それくらい勉強ができないし、勉強をやっていなかった。

いわゆる、ばかだ。


吾輩はばかである。

名前は、あるけど忘れた。


小学生の頃、校庭から校舎の屋上まで石を投げられるかという遊びを友達とやっていたときに、ちょっと大きめの石を選んで投げたら、腕力が足りず屋上に届かないまま最上階の窓ガラスをガシャーンと突き破って生徒がたくさんいる教室に投石してしまい、怪我人は出なかったが大騒ぎを起こしたのは吾輩である。

高校生のときに晩ご飯のおかずのおつかいを頼まれ、スーパーで買い物をしてお会計を済ませたがレジ袋に入れ替えるのを忘れ、スーパーの買い物カゴを持ったままで帰宅してしまい、親に「あんたばかじゃないの」と爆笑されたことがあるのも吾輩だ。

あと体育でマラソンの授業中に急におなかが痛くなって、先生に許可を得てトイレに行ったのはいいが、下駄箱のところで我慢できずにもらしてしまい、白い体操着の半ズボンからサーっとうんちが出てきたのでパニックになり、どうしたらいいかわからず手ですくって壁にパーンと投げたら、校舎の壁に茶色いナイキのマークがバーンとでき、それ以来、学校の中では「うんこナイキの謎」として都市伝説化していたが、それを卒業まで「ぼくじゃない」と知らんぷりしていたのも、吾輩である。

任天堂のスーパーファミコンが全盛の時代、「こっちのほうが本体のサイズが小さくてビット数も少ないのに、スーファミくらいのグラフィック能力があってCD‐ROMとかの拡張性もあるから絶対にすごい」と興奮しながら力説し、「大丈夫？　みんな持ってるし、スーファミのほうがいいんじゃないの？」と何度も確認する親の意見を全く聞き入れず、NECのPCエンジンを誕生日に買ってもらって、大喜びしたのもつかの間、その後すぐに廃《すた》れてしまい、続々とソフトが出なくなって後々すごく後悔したのも吾輩である。

小学四年生のとき、家族三人でハワイ旅行に行くという大イベントがあった。しかし、幼い上に人見知りで内気だったのでどうやって楽しんだらいいかわからず、せっかくの南国で羽を伸ばすこともできずに、ストレスで寝付けなくなってしまった。夜中、親が寝た後に特にすることがないのでなんとなくテレビをつけてみたら、洋モノのペイチャンネルを偶然見つけてしまい、ものすごい衝撃を受けて何時間も見続け、どうすることもできずに悶々としながら眠りについたのだが、翌朝フロントで予定より多額の支払いをしてきた父親に「お前エッチなの見てたろ」と怒られ、母親に爆笑されたのも吾輩である。

中学生の頃、学校に行きたくないあまり、通学の途中でわざと服を着たままうんこをし、それをパンツの中にキープさせたまま家に帰って「うんこもらした」と親にアピールし、そのまま学校を休んだことがあるのも吾輩だ。

日曜日に早く起きてしまい、おなかがすいてカップラーメンを食べようとしたのだが、まだかなり幼い頃だったので作り方がいまいちわからず、水を入れた大盛りサイズのカップラーメンをカンカンに熱されていたストーブの上に置いて温めようとして、大量の煙とダイオキシンを発生させ、飛び起きた親が慌ててカップラーメンを持ち上げるも熱で底が溶けて剝がれ、ストーブの上に麵と大量の水をぶちまけてしまい、異常なほどたくさんの煙が出て最終的に父親に殴られたのも吾輩である。

吾輩は、とにかくばかなのである。
それは大人になっても変わらない。

先日引っ越した新居でお風呂に入ろうとして、前のマンションにはなかった自動湯沸かし器のスイッチを押し、自動で風呂を入れてくれるなんて贅沢だなあとワクワクしながら二十分間待ち、そろそろ沸いたかなと思って服を脱いで風呂場にさっそうと入ると、栓のし忘れで、湯船のお湯がいっさい溜まらずにドボドボと流れっぱなしになっていたことがあった。
お湯に浸かりながら歯磨きしようとしていたので、全裸のまま歯ブラシと歯磨き粉を両手に持ち、私はただぼんやりと立ち尽くすしかなかった。

しかし、学校で習ったり無理矢理勉強したことはすぐ忘れてしまうのに、こういったばかな出来事は忘れない。そしてそのほとんどが思い出すと笑ってしまうようなことばかりで、ヘコんでしまうことは決してない。

なぜこういったくだらないことばかりよく覚えているのだろう。

もしかしたら私には、くだらないこと以外必要ないのかもしれない。


「違いますよ、そんなわけないじゃないですか」

Kがコーヒーを飲みながら言った。

「ばかだからばかなことしか覚えてないんですよ」

私は耳を疑った。

こんなに面と向かって人のことをばかと言える人がこの世にいるのか。

「たとえばしっかりした会社に勤めてたり、キャリア重視の世界に星野さんがいたら、そうとうばか扱いされるじゃないですか。でも星野さんが今いるこの世界は、そういったくだらないものが有利に運ぶ世界でもあると思うんです。だからばかでも窮屈な思いをせずにいられるんですよ。でも常識から言ったら九九ができないなんて信じられないし、筆算、筆算ですよその髪の毛みたいなの書いて計算する割り算のやり方。筆算っていう単語が出てこないこと自体がもうやばいと思うんです」

……筆算か！

「確かに、演技にしても、作品づくりにしても、そのカップラーメンをストーブに置いちゃうようなばかな感じが役立ってると思うんですけどね。でも、ばかがばかに自信を持ったら終わりですよ。そんなの恥ずかしいですよ」

すごい。機関銃のように正論が私の心を打ち抜いてゆく。私は今とてもばかにされているのに、なんだか気持ちがいいほどだ。

「あと、日本地図くらい描けたほうがいいんじゃないですか？」

「えー」

「星野さん全国ツアーとか行くでしょうバンドで」

「うん」

「自分がどこに居るかとかわからないんですか？」

「うんわかんない」

「ちょっと描いてみてください」

私はKの差し出した紙切れに、真剣に日本地図を描いた。

「なんですかこれ……西日本がぜんぶ液状じゃないですか」

Ｋはため息をついた。

私は自分の描いた日本地図がおもしろくて、それを見つめながらニヤニヤしていた。

しばらくして、Ｋが口を開いた。

「星野さん、確定申告やりました？」

やってないです。

「え、ばか！　だってもう……締め切りまであと二日じゃないですか！　こんなところでだべってる場合じゃないですよ」

「えー、でもくだらないことだけでいいよ。おれもうそれだけで生きていきたいよ」

「ダメです！」

「なんで？」

「大人だから！　ばかでもいいですから、やることやってください！」

そうか。そうだよなあ。

確定申告、やろうっと。

はらいたはつづく

とにかくおなかが痛いという生活。

それを二十八年間続けている。

赤ちゃんだった頃の記憶はないけど、おそらくおっぱいから離乳食に切り替えたとたんに腹をこわして泣いていたに違いない。

この内臓の弱さはどうやら遺伝のようで、母親もしょっちゅう腹痛を訴えてはトイレに駆け込んでいた。

女性に比べれば自分はまだまだ楽だ。駅や劇場の女子トイレはとにかく並んでいるので、もし自分が逆の立場だったら完全にもらしてしまっていると思う。

それに男である場合、最後の手段としてアウトドアでの解放的な排泄行為を選択して「いやあ、外でしちゃったよー」とギャグにもできるだろうが、それも女性にはかなり難しいだろう。いや、これは差別ではなく今の日本の社会がそういう構造であるという話だ。私はもちろん「女性がおもらししたっていいじゃない派」だし、すごく可愛い女の子が「今日ね、外でうんちしちゃったの」もしくは「うんこもらしちゃったの」と急に言い出したら、一発で惚れてしまう自信もある。あるが、やはりそんなことを堂々と言える女子は極端に少ないはずだ。

だから便秘の人が多いのだろうか。女性は腹を下しても自分の人生をかけて我慢をする。そうすることで毎日のお通じがしにくくなるというのは、便秘が生まれる明快な構造であると思う。

小学生の頃は痛くなるたびに「もうわるいことはしません、おおぐいもしません、べんきょうをたくさんします、だからこのおなかいたをなおして！」と便器に向かってお願いをしていたが、やはりどれだけ成長してもおなかは弱いままだった。

何度か病院にも行ったが異常は見つからず、いつも健康ですと言われて帰される。疾患があるのではなく、腸の形が少し特殊なのと、精神的なものの影響があるらしい。

今でも昼間にラーメンを一杯食べただけで、その夜ほぼ確実にトイレに駆け込むハメになるし、アイスなんぞ食べた日にはもう腸と肛門の戦争勃発は必至だ。腸は出したい、肛門は出したくない。どちらも負けられない戦いになってしまうのである。

だから、撮影でバス移動がある日の前日は確実に根菜を多く食べるし、劇場で芝居を鑑賞するときは軽く断食する。静かな芝居ではおなかがぐーと鳴って迷惑をかけてしまう可能性もあるが、そんなときはミントガム一粒を嚙んで出さずに飲み込むと、鳴りが収まるという知恵も私は持っている。

以前出演した芝居で「一時間五十分間裸の役」をやったときは、食事は一日あんぱん一個のみという壮絶な生活をしたものだった。

温泉宿から離れの露天風呂まで行く途中に事件に巻き込まれ、悪いことはしていないのに怪しまれて服を着せてもらえず、タオルをとられてイスで股間を隠し、さらになぜかイスをとられて近くにあった桶で股間を隠し、最終的には桶をギターとむりやり交換され、股間を隠しながらつい弾き語りをしてしまうという不思議な役で、演じながら企画もののAVに出てしまった素人女性のような気持ちになった。

稽古も終盤に差しかかり、通し稽古をすることになったときに演出の宮藤官九郎さんに言われた。

「そろそろ脱いでやってみる？」

その日まではTシャツとジャージを着用しながら稽古していたのだが、実際ほとんどのシーンで私は裸である。それまで宮藤さんも気を使って「稽古着でいいよ」と言ってくれていたのだが、本番が間近になりそろそろ裸になろうかということだった。

「わかりました」

私は凜《りん》とした態度で更衣室に行って全裸になり、用意してもらった前張りを股間に貼った。

そして通し稽古は始まった。

その十五分後、私はトイレの中でひとり涙を流していた。

通し稽古を止めることは基本的にできない。芝居全体の長さを計ったり、衣装の早替えのタイミングなどを確認しなければならないからだ。

それなのに、開始早々どうも腹の様子がおかしい。へその下の辺りがぐるぐると鳴っている。私の出番は本番が始まってから約十五分後で、一度出てしまうとしばらく舞台の上にいなければならない役だった。これはまずいと思い、息の仕方を変えたり、おなかに手を当てて温めたりしたが痛みは治まる気配がなく、もう我慢の限界だというときに自分の出番になったので、そのまま出て行って宮藤さんに向かって叫んだ。

「すいませんおなかいたいので止めてもらってもいいでしょうかごめんなさい！」

場の空気が凍りついた。宮藤さんはあっけにとられた顔で私を見ていた。

「あ、うん行ってきていいよ」

「ありがとうございます！」

私はトイレへとダッシュした。

そして用を足しながら、ひとり涙を流したのである。

稽古場のほうから笑い声が聞こえる。なにをやっているんだおれは。

そして思った。このまま初日を迎えるのはまずい。もちろん本番を止めるわけにはいかない。服を着ていたならたとえ本番中にGOしてしまってもお客さんにばれてしまう確率は少ないが、全裸でおしりも丸見えでは逃げ場がないし、もしものことがあったら目も当てられない状況になるだろう。

もうこれは食事制限をするしかないと、公演期間中は全ての栄養が詰まっている（気がする）あんぱんを一日にひとつだけ食すことにした。

しかし、ちゃんとした食事をしないと自然と体は冷えていく。胃の中に燃焼するものがない上に劇場というのはとても寒い。寒くなってくるとおなかが痛くなる確率も上がる。その悪のスパイラルを断つために、舞台袖に自分専用の電気ストーブを置いてもらった。出演シーンを終えて袖に戻ってくるたびにそこで体を温める。新米の役者にしてはかなりのわがままだが、もらすよりはいいだろうということで特別に用意してもらえた。とりあえず、これで安心だと思った。

ある日の本番中、自分のシーンが終わって袖に戻りストーブがある場所まで急ぐと、そこには既に人がいた。

松尾スズキさんがストーブの前で普通に暖をとっていたのである。

松尾さんはこの公演で出ずっぱりのとてもハードな役をやっていた。疲れ切ってしょぼしょぼになりながらストーブに両手を差し出す松尾さんの後ろに立っていたスタッフさんが、唖然とする私に向かって首を振った。

「あきらめなさい」

きっとそう言いたかったのだろう。

私は素直にあきらめた。だってなんかもう可哀想だったんです後ろ姿が。普通に服着てるのに寒いってよっぽどである。

その後ストーブは七割方松尾さんのものになってしまったが、幸い腹をこわすことはなく、無事に千秋楽まで演じ切ることができた。

演出助手の大堀光威《おおほりこうい》さんに言われた。

「うちの芝居で通し稽古を止めたのは、源ちゃんで二人目なんだよね」

初めて聞いた話だった。

「皆川（猿時《さるとき》）さんがね、痩せようと思って脂肪を燃焼してくれるスポーツドリンクをがぶ飲みしてたら汗のかきすぎと下痢で脱水症状起こしちゃって通し稽古止めたの。あれは笑ったなあ」

私も笑った。水分摂っているのに脱水症状なんて話聞いたことがない。自分にも仲間がいるのかと思った。少し救われた気持ちになった。

おなかをこわした話を聞くと、妙にシンパシーを感じる。苦手だった人でもおなかが弱いとわかると同志のような気持ちになってしまう。

たとえば役者にとって演出家というのは概ね緊張させられてしまう存在だが、あるドラマで演出家のSさんと腹痛話で盛り上がり、それまであった心の壁も一瞬でなくなり、大好きな人になってしまったことがある。

そのときSさんは駅から自宅に向かってひとりで歩いていたそうだ。家まであと半分というくらいの所でおなかが痛くなってきてしまった。しかし昔からの腹痛持ちなので、この腹痛は何レベルなのか、あとどのくらいで限界を迎えるか、彼にはなんとなくわかっていた。

この程度なら急げば大丈夫だろうと家路を急いだ。あともう少しで家が見える。自然と早歩きになる。ここで走ってしまうと出てしまう可能性があるのであくまでも早歩きだ。家が見えた。なんとか間に合いそうだ。玄関でタイムロスしないように既に鍵は手に握りしめている。あと十メートル。あと五メートル。よし、なんとか着いた。玄関から家に入り、トイレに直行してドアを開ける。見ると、便器のふたが閉まっていた。礼儀正しい妻が閉めてくれていたようだった。

まずい、もう限界だ。ベルトはもう外している。片手でズボンを下げつつ、座りながら勢いよく便器のふたを開けて座ろうとした。すると、勢いがよすぎてふたが跳ね返ってまた閉じたのである。

気がつくと彼は便器のふたの上に座り、そのまま出してしまっていたのだ。

どんな状態かは大体想像つくだろう。悲惨である。もう描写するのも気が引ける。

「あーって。もうとにかく、あーって言ったよ」

話をしてくれた後、Sさんはそう言って笑った。

彼のそのときの気持ちは、想像を絶する。こんな話を聞いたら、同志もしくは先駆者として崇《あが》めずにはいられない。

そんな風に、たとえ欠点や弱い部分でも共鳴し合う部分があれば有効なコミュニケーションツールになる。完璧な人間などどこにもいない。誰にでも必ず弱い部分はある。人間だけに与えられたこのツールを、私たちはもっと臆さず使っていいと思う。

というか、今回の話はおなかの弱くない人には全く響かないんだろうな。

逆に一度でももらした経験のある同志なら、とても共感してくれるはずだ。

あなたは、自分の便がついてるパンツを洗うときの切なさを知っているか。急いでトイレに駆け込んだら既に二人並んでいたときの絶望感を知っているか。トイレで並んでいて、中からケータイをいじる音が聞こえたときに感じる怒りを知っているか。たった今買った新しい服をすぐ着たいがために、便意もないくせにトイレの個室に長時間入る輩《やから》を断罪したい気持ちになる私は異常なのかと夜な夜な悩んだことはあるか。

この気持ちをわかるようになるだけで、人生に幅が出るはずだ。たぶん、出ると思う。出したいかは別として、深みとかも出ると思う。うん。出ると思う。

あと、こちらの世界に来ると、便秘知らずになれます。

ちなみに、私は便秘のつらさはまったく知らない。いつかはそちらの境地にも行ってみたいものである。

おじいちゃんはつづく

子供のときのあだ名は「おじいちゃん」だった私だ。

小学生の頃、大勢で遊んでいて追いかけっこになると、いつも私は両手を胸の前に置いて、ちょうど湯のみを持つような形になって正座をした。そしてズズっと音を立てて、熱いお茶を飲む真似をして言う。

「今日もお茶が旨いのう」

なぜそんなことをするのかというと、そうすると追いかける側は戦意を喪失して別の人間を追いかけて行ってくれる。とにかく、逃げるのがおっくうでめんどくさかった。そんな人間としてある意味卓越した対処の仕方をよくしていたので、いつの間にか私のあだ名は「おじいちゃん」になった。

その頃から母親には常々「あんたは不細工で足が短くて、特徴もない」と再三言われ続けていたので、クラスの中で目立とうなどという向上心が芽生えることもなく、さらにテレビを見ていると無理矢理シティボーイズのコントビデオを見せてきたり、「あのね、『だいじょうぶだぁ』の芸者コントは、志村けんより柄本明のほうがすごいのよ」とか口を出してきたりするので、素直に感化されてしまった私は小学校の卒業文集の「将来なりたい職業」のところに、「柄本明」と書くようなマニアックで渋い子供になってしまった。

今でも、老成しているねとよく言われる。確かに流行ものには興味があまりわかないし、自分が作るものも流行とは無縁なものばかりだ。

サケロックを始めた頃も、音源だけ聴いた人からは「もっとおじさんたちのバンドかと思ってました」とよく言われていた。当時まだ二十歳くらいで、若者のインストバンドというとジャム系やスカバンドなど、オシャレなファッション要素を持ったバンドが多かったので、僕らのような音楽はとにかく地味でマニアックに聴こえていたらしい。イベントに出演したときも、対バン相手を観に来たおじさんから「すごく狭いとこ狙ってるねえ」とか言われながら、別に狙ってるわけじゃないんだけどなあ、とよく思っていた。

「源くん絶対早死にだよ」

バンドメンバーの浜野によく言われた。

どうやら私は、薄幸そうなイメージもあるらしい。昔から体も弱く内気な性格だということもあり、端《はた》から見ると身を削って創作活動しているように見えるようだ。でも実際は能天気なところもあるし、怠け者だし、そんなに身は削っていない。

ていうか、老成してて地味で死にそうって、それはもう普通のおじいちゃんじゃないか。


私のおじいちゃんは八百屋をやっていた。

そしてその店で私の親父は働いていた。おじいちゃんは昔とても厳しかったらしく、親父も小さい頃はよく怒られ、手を上げられることも少なくなかったそうだ。

しかし私の知っているおじいちゃんは、そんなこと想像もできないくらい優しい顔立ちで、店自体もおじいちゃんの人柄で保っているようなところがあった。

親父はトラックにわんさか野菜を積んで毎日配達に出て、おじいちゃんはいつも店で接客を続けていた。無駄なことは喋らず、優しく、ユーモアがある。そんな感じだから、近所のおばちゃんたちにもモテていた。

中学生の頃、毎晩店じまいを手伝って五百円貰うという、ちょっとしたバイトをさせてもらっていた。親父は配達で忙しいので、いつもおじいちゃんと二人きりで片づけていた。しかしお互いに無口な人間であり、私も私で別種類の「おじいちゃん」であったので、ほとんど会話はなかった。ただ、余計な気を使わないでいられる時間がとても心地よく、なんとなく楽しかった。

おばあちゃんを先に亡くして一人で生活していたおじいちゃんを、母親は「自立した年寄り」と呼んでいた。八十歳を過ぎても掃除も洗濯も自分でやる。ご飯だってちゃんと一人で作る。愚痴も言わない。息子や娘には頼ったりしない。おじいちゃんは幼いときに両親を亡くしたんだそうだ。たぶん、その頃からずっと一人で生きてきたのだと思う。だから、どんなに歳をとってもちゃんと一人で生活していた。

おじいちゃんは、八十七歳になったとき、脳梗塞で倒れた。

命は助かったが、手足に麻痺が残った。お見舞いに行くと、おじいちゃんは、はにかみながら言った。

「レース場に行きたいよ」

川口オートレース場のことである。

オートレースは、競馬や競輪と同じように、オートバイのレースにお金を賭けて遊ぶ。おじいちゃんはオートレースが大好きだった。場内にある食堂や商店に野菜を卸していたこともあり、一番身近な娯楽だった。

その言葉を聞いて、まだ遊び足りないんだなあと思って私は笑ってしまった。

リハビリ期間を終えて無事に退院し、お店にも出られるようになったおじいちゃんが、会いに行った私に、ぼそっと言ったことがある。

「絵を描こうかなと思ってるんだよ」

そんなこと言うなんて意外だったから、驚いた。でも、すごくいいと思ったので、「絶対やりなよ」と言った。


その頃私はサケロックで『ＹＵＴＡ』というアルバムを制作中で、レコーディングをしていた場所は国立にある地下の飲み屋だった。自主制作なのでスタジオを借りる予算もなく、知り合いの飲み屋のマスターにお願いしてものすごく安い値段で店を貸してもらった。

深夜、飲み屋の営業が終了する頃に全員で集合し、そのまま朝まで録音して昼頃帰るという作業を毎日、何ヶ月も繰り返していた。もちろんレコーディングスタッフなんて一人もおらず、メンバーが持っていたハードディスクレコーダーを使って、自分たちだけで録音した。

作業は難航した。録音が進んでも、飽きてしまったらそのデータを消し、アレンジを一から考え直す。明確なビジョンがあったわけではないのに、無駄に厳しかった。いいアイディアが出てくるまでうんうん唸《うな》って考え、「とりあえずやってみよう」という言葉すら言いにくくなるほど、ピリピリとした重い空気の中での録音だった。

日によっては一秒も録音できずに帰るときもあり、そんな日は店内から階段を上って地上に出て、朝日を浴びながら「なにやってんだろうなあ」とよく落ち込んだ。この方向は間違っていないという確信はあったのだが、当時はファンなんて一人もいなかったし、誰が聴いてくれるかもわからないものになぜここまでこだわっているのか、いつもわからなくなった。とにかくその数ヶ月は「楽しいバンド活動」とはほど遠く、とても厳しい修行のようだった。

その日も、自分の書いた曲のアレンジに行き詰まって、いつものごとく悩んでいた。それは何時間にも及び、このままではいけないと思ってレコーディングを中断し、みんなでファミレスに夜食を食べに行くことにした。

私は落ち込んでいた。何のアイディアも出ない自分が情けなかったし。今回はメンバーだけでなく、ヘルプのミュージシャンも呼んでいた。しかも女の子だった。彼女も本当は早く帰りたいだろうに、何時間も付き合わせてしまっていた。

おかしくなったのはその後だった。

いきなり元気になったのだ。

急速にテンションが上がっていって、そわそわしだした。

なんだかわからないがやる気になった私は、「早く帰って録音しよう」と、急いで注文した夜食を食べた。

そして飲み屋に戻り、ぱっと思いついたアレンジで録音を始めると、すごくうまくいった。目の前の霧が晴れたようだった。そしてなにより嬉しかった。

翌日の昼過ぎに録音は終了し、満足しながら地上に上がると携帯が鳴った。留守番電話が一件入っていた。聴いてみると、とても暗いようこちゃんの声だった。

「おじいちゃんが亡くなりました」

ちょっと意味がわからなかった。

「夜中の三時くらいに、おうちで亡くなったみたいです。お通夜の準備しなきゃいけないから、これ聴いたらすぐ電話してね」

急に涙が出てきた。

おばあちゃんが死んだときも、同級生が死んだときも泣かなかったのに、涙がボロボロと落ちた。混乱しながらも、すぐ折り返し電話した。涙は止まらず、嗚咽《おえつ》を漏らすように泣いた。

「こないだの脳梗塞から一年も経ってないのにね。朝お父さんが店に行ったら、もう亡くなってたんだって。でも苦しんだ様子がなかったから、楽に逝《い》けたんじゃないかって」

話を聞きながら、また泣いた。

泣きながら、なんでこんなに涙が出るのかと不思議に思った。

おじいちゃんのことは好きだったけど、そこまでおじいちゃん子というわけでもなかったし。ああ、でも、さっき聞いたおじいちゃんが亡くなった時間って、おれがファミレスで急に元気になった時間と一緒じゃないか。

……会いに来てくれたのか。

だから泣いているのかおれは。

その後すぐにおじいちゃんの家に駆けつけた。両親や親父の親戚たちももう集合していて、私を手招きした。

「源、触ってごらん」

布団に横たわったおじいちゃんは、顔の筋肉がいつもと違って見えて少し違和感があった。

「冷たいよ。アイスみたい」

死体に触るのは初めてだった。私は恐る恐るおじいちゃんのおでこを触った。ほとんど氷みたいだった。びっくりするほど冷たかった。

驚いたのと同時に、心の中に大きな思いが浮かんできて、笑ってしまった。

生きたいぞこりゃあ。

ちょっと恥ずかしいくらい、ポジティブな発想である。でも思ってしまったんだからしょうがないのだ。

それまで身近な人の死というものは当然、つらく落ち込むものだと思っていたのに、体に触れた瞬間、異常に前向きになっている自分がいて、とにかく生きたいとむやみに思った。思いすぎてちょっと笑っちゃったのだ。

親戚のみんなも心なしかニコニコしている。家全体に健康的なムードが流れていて、すごくおもしろかった。

しっかり生きた人の死に触れるということは、こんなにも元気づけられるものなのか。私は、おじいちゃんの足に足袋を履かせながら、とても感心したのだ。

その後、お葬式会場で目にした張り紙を見て、私はあのとき録音していた曲を「七七日」というタイトルに決めた。

「七七日」と書いて「しじゅうくにち」と読むらしい。おじいちゃんのおかげでできたこの曲を聴きながら、四十九日の旅をしてくれたらいいなあと思った。あと、「四十九」は「七×七」だから「七七日」っていう、冗談みたいな表記の仕方も、おじいちゃんぽい感じがした。


数ヶ月が経ち、録音を全て終了した私たちは、曲のミックスダウンをするために、うちの実家にいた。

予算がないのでスタジオを借りられず、オーディオマニアでもある親父自慢のスピーカーがある家でやることにしたのだ。

サケロックのメンバーを招いて、親父の部屋でミックスダウンをした。

やはり作業は難航し、特に「七七日」のミックスには悩んでしまった。そのときは私が機材をいじりながら音を調節し、他のみんなは後ろのソファーに座ってそれを聴きながら、あーだこーだ言い合った。

いつまでたっても進展せずに数時間が過ぎた。私はあまりに煮詰まってしまい、頭を抱えてうずくまった。

すると、後ろからポンと肩を叩かれた。

「ちょっと休憩しようよ」とでも言われた気がして、ヘッドホンを外し、「そうだね」と後ろを振り向いた。


誰もいなかった。


リビングから、メンバーと両親が話す声が聞こえた。どうやらおやつを食べているらしい。部屋には私一人だった。作業に集中するあまり、みんなが出て行ったのに気づかなかったようだ。

ふと向き直ると、斜め前におじいちゃんの仏壇があった。

また来てくれたのか。

ていうか、ずっとちかくにいるんじゃないのか。

そう思って涙ぐんだ。

しばらくして、親父から「おじいちゃんの形見だ」と帽子をもらった。

グレーのハンチングで、おじいちゃんがよくかぶっていたやつだ。

試しにかぶってみた。

驚くほど似合わなかった。

今でもたまにかぶってみるのだが、これが一向に似合ってこない。一人で生きてきたおじいちゃんとのレベルの差を、なんとなく象徴しているような気がする。

もしかしたら今後一人前になったときに、急に似合ってくるかもしれないので、いつでもかぶれるように、自分で買った帽子たちと一緒に側に置いておく。

口内炎はつづく

なんなんですかね。

たとえば風邪をひいて、二週間ほど咳やら鼻水やらに悩まされ、やっと治ってきたなあと思っていると、いつの間にか口の中に違和感があり、鏡で見てみると何か白いものができている。

口内炎である。

上の歯茎に小さい口内炎ができてしまった。またか。不規則な生活をしているせいか最近やけに多い。そして、痛い。とりあえずビタミンのサプリメントでも飲んで気を紛らわせておこう。

結局その口内炎は四日ほどかけて大きく成長し、さらに一週間かけてゆっくりと小さくなっていった。

今回のは長かったなあ。ほぼ二週間だ。もうしばらくできないでほしい、そう思っているのと今度はのどが痛みだした。

風邪の名残だろうか。のどが荒れているような感じがする。手鏡を駆使して中を見ようと試みるが、暗くていまいちよくわからない。ペンライトを使ってのどの奥を見てみる。なんだろう、何か白いものがある。

口内炎だった。

なんだそれ。喉に口内炎なんてできるのか。これは痛い。何かものを飲み込むたびに痛い。なんなら唾を飲み込むだけで痛い。うっとおしいなあ。何をしているときでも気になってしまう。完全に治るのにはさらに一週間はかかるだろう。

そして時が経ち、ようやく喉から白いものが消えた。

しかしその頃私は、なぜか腱鞘炎《けんしょうえん》になっていたのだった。

なんでか。理由はわからないが、何かのきっかけで手首をひねってしまったようだ。いてて、痛みで日常のちょっとした動きがとても不便に感じる。でも生活は続けなければならないので、普通に動くことのありがたみを嚙み締めながら、普通に仕事をしてご飯を食べる。

それから五日が過ぎ、やっとお茶碗を持つ手からも痛みが消え、悠々とした気持ちで夕食を食べていた。

美味しい。手首が痛くない食事というものはなんて素晴らしいんだろう。余計な邪魔を感じずに純粋にご飯の味を楽しめる。ついつい口の中にたくさんおかずを放り込んでしまう。ああ、なんて楽しい食事なんだ。

ガクンッ。

……っ。

食事の勢いそのままに、右ほほの内側を思いきり嚙んでしまった。食べていたおかずの味が、だんだんと錆びた鉄の味に変わる。血が出てきたらしい。とりあえず口の中のものを飲み込んで、台所で口をゆすぐ。……いってえ。すごく痛い。ちくしょう。またしばらく口の中を気にする生活になるなあ。

そして一週間後。

そろそろ治ったかなあと思い、鏡で口の中を見てみると、

傷が口内炎になっているのである。

……コノヤロー。

イライラして動きも自然と乱暴になる。だあ、もう何もかもめんどくさい。床に転がる雑誌を足で蹴飛ばし、飲み終わったペットボトルをゴミ箱にトルネード投法で投げる。

もちろん入らないのでさらにイライラする。ふと時計を見ると出勤時間だったので、出かけなきゃと思ってあわてて歩き出したらテレビの棚に思いっきり足の小指をぶつけた。

「ヤアアアアアアアア」

なんだよもう！　ここんとこずっと痛いよ！　何かしら体のどこかが常に痛いよ！　一つ治ったと思ったら、引き継ぐかのように別の痛みが生まれて、その連鎖がいつまでたっても終わらないから心が休まらないよ！

もう！

なんなんですかね！

と、いうことがよくある。

口内炎一つとっても、本当はコーラの飲みすぎだとかおとといポテトチップス食べたからとか、仕事先で理不尽に怒られ、そのストレスでとか、そういう原因があるとは思うんだけど、口内炎ができた瞬間に私はいつも、「できちゃったよ。めんどくせえなあ」と思うのみで原因を究明しようとはほとんど考えない。

さらにその口内炎が引き起こすストレスで新たな口内炎ができ、ものを扱う動作が乱暴になって腱鞘炎になる。すると、その動かせない腕を助けるために他の筋肉が稼働し、そこから普段の動きや顔の表情が微妙に変化し、そして腱鞘炎が治った頃に一連の筋肉の緊張が解け、ものを食べるときに油断して口の中を噛んでしまい、そしてその傷が化膿して口内炎になってしまうのだ。

そういった（完全に推測だが）連なる理由があるのに、そこにはあまり触れようとはせずにイライラばかりを募らせて、結果的に自分に原因があるにもかかわらず、「こんなにしんどいことが連鎖してしまう自分は不幸だ」などと考えるようになり、そこからどんどんマイナス思考になって、最終的には「おれなんか消えてしまえばいいのさ」みたいな、内気で自己中心的な非常にめんどくさいタイプの私の出来上がりなのである。

あーやだやだ。そんなめんどくさいタイプの自分とはなるべくおさらばしたい。しかし、そういったことを考えている自分もまた、自分のことしか考えていない自己中心的な「気にしい」であることに変わりはない。って、この短い段落に自分という言葉が三回も出てきた。めんどくさいなあ、自分。

私の大好きな落語家、二代目桂枝雀はあるテレビ番組でこのような発言をしていた。

「気が寄る」というか。

自分のことを、思いすぎるんですね。

でも、実は自分を思うことが自分を滅ぼすことなんですな。

人を思うことが、本当は自分を思うことなんです。

レコーディングスタジオのロビーでその番組を偶然観てしまった私は「ああもう、その通りだよう」と一人で呟いてしまった。

確かに、自分のことばかりを考えている人より、人をあっさりと思いやれるような人のほうが魅力的に見える。自分の立場とかプライドとか、そういったものを常に考え、なるべく自分が損しないようにいつもピリピリしているような人より、たとえ自分が多少損をしたとしても「いいじゃない」とあっさり前に進める人のほうが、ストレスも少なそうで、かつ生きることを楽しんでいるようにも見えるだろう。ちなみに私は、思いっきり前者である。

話は変わるが、以前受けた取材の中で「音楽と演劇って共通する部分はあるんですか」との質問に、「自分がなくなることです」と答えたことがある。

音楽は一見自由で解放的な表現と思われているけど、実際、曲や歌にはコードがあり、その音階から外れてしまうと「変な音を出したねあの人」と思われてしまう。それにアドリブをするにしても、そのコードから外れた音を出してしまうと「やっぱり変な音を出すねあの人」と思われてしまうので、頭の中はコードや音符、間違ったら嫌だとか、羞恥心やプライドとかでいっぱいになってしまい、いつの間にか自由な表現とはほど遠いものになってしまうのだ。

しかし、ごくたまに、そういったものがなくなる瞬間がある。それはわかりやすく言うと「会場が一つになった」みたいな状態だと思うんだけど、演奏が盛り上がり、観客との一体感が生まれ、それが最高潮に達すると、まるで「自分がなくなった」ような感覚に陥るときがある。

身を守るための不安や欲がなくなり、「次のコードは何だっけ」と考えなくても、スラスラと自然に出てくる。思いつきで演奏を変更しても、なぜかそれがバッチリはまってしまう。普段自分を思う気持ちでがんじがらめになっているものから解放されて、楽しくて仕方がない。

一方演劇にはまずセリフというものがあり、そのセリフの言い方や立ち位置、演出家に指示されたことを守ろうとする意識とか、長い公演を乗り切るための自分の体調管理やら、そういったものをたくさん抱えながら舞台に立たなければならず、やはりエゴまみれになって萎縮してしまうことはよくある。

しかし、時たま考えなくてもセリフがスラスラと出てきて勝手に体が動いたり、「間違って怒られたらどうしよう」とか「受けなかったらどうしよう」などの不安や、「その役になりきらなきゃ」という気持ちもなくなり、自分がまったく誰でもなくなるという不思議な瞬間がある。それは、先ほどのライブで時たま起こる瞬間と同じ感覚であると言っていい。

それが客観的に見たらどういう状態なのかはわからないが、個人的には仕事や日常のいろいろから解き放たれたようで、とても気持ちいい。そういった状態を私はいつも、「自分がなくなる」と呼んでいる。

ちなみに枝雀さんはこうも言っていた。

なんといいますか、同じようなことを楽しいと思い合うっていうんですかね。そんな風なことが落語をやっていく上で大事なんではないかと思うんです。気持ちが「いけいけ」になるんですね。あなたも私もないようにね。それが「笑い合う」っていうことなんでないかなあと。

「あなたも私もないように」というのは、おそらく私が舞台やライブ会場で感じた、自分がなくなったという感覚と同じものなんじゃないか。自分だとか他人だとかいうことがどうでもよくなる瞬間。それは仕事や日常をよりよく過ごすためのヒントではないかと思う。

「自分探しの旅」などとはよく言うが、私にとっては自分探しなんて孤独でつらそうなものより、積極的に「自分なくし」をしていきたい。

自殺のニュースを見たりすると、「ああ、なるはやで自分をなくしたかったんだなあ」と、どうにも切ない気持ちになる。できれば自分は、なるべく楽しくておもしろくて、仕事にもなって、やりがいのある自分なくしがしたい。

そのためには、枝雀さんが言ったように、自分のことばかりではなく、なるべく人のことを考えるのが、いちばんの近道だろう。自分のことばかり気にしていたら「自分なくし」なんてとうてい無理な話だ。

でも、枝雀さんは、一九九九年になるはやで自分をなくしてしまった。あんなに偉大で最高におもしろい人がなぜ、と今でもＤＶＤを観て、爆笑しながら、笑えば笑うほど泣けてきてしまう。

あの枝雀さんでも、つい「気が寄りすぎてしまう」ということが起こる。自分のことを思わない、ということはすごく難しく、そして人によっては命がけなんだろうと思う。

私も気が寄りがちな性格をしているので、この枝雀さんのメッセージを肝に銘じつつ、自分をなくすためにはまず、どうしたらいいのか。

とりあえず、大好きなコーラはなるべく飲まないようにしたほうがいいか。いやね、やっぱり口内炎とかあると気になってどうしても自分のこと考えちゃうし、健康にはなっておいたほうがいいかなと思うしね。お菓子とかファストフードばかりではなく、ちゃんと自分で作ったご飯を食べて、体調を整えなきゃ。

あと掃除ね。おれ花粉症もあるけど、自分の家のホコリのせいで鼻炎になっているの気づいてるんだけど掃除するのめんどくさいから花粉のせいにして気づかないフリしてるんだよね。だからこまめに掃除しなきゃ。

あと、歯磨きはしてから寝なきゃダメだよね。たまに億劫《おっくう》でやらないでしょうおれ。そんなの口内炎になるのは当たり前だよ。

あと吹き出物が多いからって高い化粧水使ってるけどさ。その前にちゃんと朝起きたら顔を洗いなさいよ。たまにめんどくさくてすぐそこに洗顔ソープあるのに水洗いだけで済ませるときあるでしょう休みの日とか。そりゃ肌も荒れるっておれ。

それにやらなきゃいけない仕事放っておいてゲームしてたら、そりゃストレス溜まるよ。ストレスって人から受けるより自分が生み出すほうが多いんだからねおれ。

ねえ、わかってんのおれ⁉︎

はい。

うん。そうだ。そういうの、ぜんぶ直してから他の人のこと考えようっと。

自分なくしの道は、まだまだ遠い。

他の人からしてみれば、口内炎があって腱鞘炎で、足の小指を強打した人に自分のことを想われても、なんか迷惑だろうし。

舞台はつづく

とある俳優に、「今まで一番忙しかった日のことを教えてもらえませんか」と尋ねたことがある。

当時、過労で倒れてしまうほどに忙しく、しかもちょうどこの連載が始まるというタイミングで、いっぱいいっぱいでアイディアを練る余裕がなかった私は、一番身近にある「忙しさ」をネタに何か書いてやろうといろんな人にこの質問をしていた。

しかし、いくら訊いてもおもしろい話は聞けなかった。当たり前だ。忙しい話なんてたかが知れてる。仕事が重なったとか、移動が多かったとか。どれもそんな普通のものだった。

そんなある日。

出演していた舞台の幕間にある休憩時間が終わる頃、私が舞台袖で控えているとその

俳優も同じくスタンバイしにやってきた。これはチャンスだと思い「あの、今までで一番忙しかった日ってどんな日ですか？　よかったら教えてください」と訊いた。ダメ元の質問だった。なぜならその人はあまり忙しさの似合わない人だったからだ。似合わない人って何だ、と言われたら私にもわからないが、なんとなくそんな感じがしたのである。

するると、その人は簡潔に言った。

「あるねえ」

そして訥々《とつとつ》と語り始めた。ある俳優の、世界一忙しい一日である。

その日、男は久しぶりに黒いネクタイを締めた。

数日前に、お世話になっているスタッフさんが亡くなったのだ。物腰の柔らかい、とても優しい人だった。仕事の都合で通夜には行けず、葬式である今日別れを告げに行こうと決めた。

少し太ったかな。喪服を着ながら思った。

男は既婚者であった。子供だっている。誰がどう見ても幸せな家庭だ。妻が用意したおいしい朝食を食べる。自分はなんて幸せなんだろう。若い奥さんを残して亡くなってしまったスタッフさんを想い、心が痛んだ。

妻と子供に手を振り、男は家を出た。電車に乗って葬儀場のある駅まで急ぐ。

というか急ぎすぎてしまって、予定の時間より早く駅に着いてしまった。

どうしよう。仕事仲間とはいえ、お葬式の会場に一人他人が早く着くというのも、なんだか居心地が悪そうな気がする。

男は、うーんと腕を組み、悩んだ。

「おいしいねえ」

気がついたら男はカレーを食べていた。

なんだか急にカレーが食べたくなってしまったのだ。しかも大盛りである。

先ほど食べた朝食のことはもう忘れていた。というか早くも消化してしまったらしい。

たまたま入ったカレー屋だったがこれがとても旨い。男は幸せな気分でいっぱいだった。

ふと時計を見ると、予定の時刻を少し過ぎていた。まずい、カレーに集中しすぎて時間を忘れてしまった。これじゃあ遅刻じゃあないか。

男は店を出て葬儀場まで走った。たった今カレーを食べたばかりなので横っ腹が痛い。

男は少し泣きそうだった。荷物もかなり重い。夜、舞台の仕事があるため、男はかなり大きいリュックを背負っていた。その中にはタオルやTシャツ、食料、体臭予防のデオドラント各種。台本、私服、その他様々なものをぎゅうぎゅうに詰めていた。

男は、痛む横っ腹を押さえて泣きそうになりながら、ガッシュガッシュと音を立てながら走っていった。


葬儀場に着いたのは、予定の時刻の十五分後だった。

喪服に巨大なリュックを背負った男が息を切らしながら汗だくで葬儀場に入ってくる。端から見たらかなり異様な光景である。その瞬間を目撃したある俳優はこう思ったという。

「登山帰りか」

と。

汗だくだった男は、リュックの中にあるタオルを探した。しかしいくら探しても一向に出てこない。中からはなぜか前に読んだスポーツ新聞が四紙も出てきたので、仕方なくそのスポーツ新聞で汗を拭いたそうだ。

葬儀は慎ましく進んだ。数々の役者たちやお世話になったスタッフたち。その場にいた全員が、目に涙を浮かべて亡くなったスタッフさんの死を悲しんだ。男も、とにかく残された奥さんが不憫でならなかった。そしてついに我慢できなくなり、号泣してしまった。

大きなリュックを背負い、汗だくになりながら大量の涙を流し、しかもなんかカレーの匂いがするデブ。男の異様さはさらに強烈なものになった。

しばらくして葬儀は終わり、参列者は別室に移動して故人の思い出を語り合った。それぞれ懐かしい話に花を咲かせる。振る舞われた酒を飲んで泣き出す者、当時の話をして笑い出す者、様々だった。

「うまいねえ」

そのとき、男は軽食として出された寿司をもぐもぐ食べていた。

とにかく寿司が大好物だった。なんなら妻が作った朝食やカレーよりも好きだった。ここで食べないわけにはいかない。男はなりふり構わず寿司を食べ続けた。

葬儀の席にもかかわらず、汗だくでカレーの匂いをさせながら、寿司を食うデブ。そんな男を見たある演出家は、こう思ったという。

「申し訳ないけど、もう死んじゃえばいいのに」

と。

全てが終わり、参列者は続々と帰っていった。

寿司を食べ終わり、ウーロン茶を飲んでいた男に、その晩同じ舞台に出演するある俳優が訊いた。

「本番まで結構時間あるなあ。ねえ、どうすんの？　一回家に帰るの？」

「ううん。ちょっと、行きたいところがあるからねえ」

「そうか……じゃあ、またな」

「気持ちいいねえ」

気がつくと、男は性感マッサージを受けていた。

渋谷にあるアロマオイルを使ったマッサージの店であった。

今日が理由をつけて外出できる唯一の日だと考えた男は、チャンスとばかりに行きつけの風俗店に入ったのだ。

喪服を着たまま堂々と風俗に行ける男はそうはいない。しかも大きなリュックを背負ってカレーと酢めしの匂いをさせながらの入店。かなりの強者である。

「そろそろいくねえ」

入店から一時間半が経ち、男は店を出た。九十分コースだったが一回いっただけでもうしんどくなってしまったので、残りの三十分はプレイをやめ、風俗嬢に向かって説教とも口説きともつかない絶妙なトークを繰り広げていた。

時計を見ると、まだ劇場入りには二時間ほどある。

男はもう、これ以上ないほどにつやっつやだった。しかしスッキリしたのはいいが、同時に虚無感にも襲われた。俺は何をやっているのだろう、そう思ったかは定かでないが、出すものを出してしまった男は、もうフラフラだった。

ショッピングをするにも、人混みの中に繰り出すのは非常にしんどい。しかもこの喪服と大きなリュックがすごく邪魔だ。かといって今から劇場に入っても特にすることはない。さてどうしよう。男が迷っていると、ふとある看板が目に入った。

「うまいねえ」

男はラーメンを食べていた。

旨そうなラーメン屋があったのである。ちょっと前に寿司を大量に食べた気がするがそんなことはどうでもよかった。男は常に現在を生きていた。過去は気にしない。自分が今なぜ喪服なのかも、もう今となってはわからないほどだった。男は大きいリュックを壁にかけ、喪服のまま、汗だくで大盛りのチャーシューメンを食べた。

その姿はさながら大量の牛乳を一気に飲み干す加藤茶のようだ。男にとってカレーとラーメンは飲み物であるらしい。

すべて食べ終え、男は店を出た。

しかし、入り時間まであと一時間もある。劇場の近くまで来てしまった男は時間を持て余していた。

「うまいねえ」

気がつくと男は別の店でラーメンを食べていた。

一杯では物足りなかった。さっきのは豚骨系だったが、ここは醤油系がベースのラーメン店である。しかもまたチャーシューメン。店を出る頃にはお腹はパンパンに膨れ上がっていた。男はちょっとした丘のようなお腹で、劇場へと入っていった。

しっかり準備運動をして衣装に着替え、メイクをする。そして本番が始まった。

異変が起きたのは上演時間のちょうど半分を過ぎた頃だった。

なんだか腹が痛い。

初めは小さい痛みだったが、それはだんだんと威力を増して強烈なものになっていった。どうやら食べすぎで腹をこわしてしまったらしい。だが男は痛みを感じつつも、持ち前のプロ根性で約三時間の公演を見事に乗り切った。その日、彼の芝居は稀《まれ》に見る熱演だったという。

しかし幕が下りる頃にはその痛みは尋常でなくなっており、ついには歩くのも困難になってしまった。その様子を見て慌てたスタッフが救急車を呼び、男は劇場から出て行く観客の注目を浴びながら、救急病院へと運ばれていった。

「あばら骨が折れてます」

医師がレントゲンを見ながら言った。ただの腹痛だと思っていたら骨折だったのだ。大量に食物を摂取した状態で急に動いたために、内臓の圧力で骨にヒビが入ってしまったらしい。

幸い、事態はそれほど深刻でなく、翌日からの舞台も出演できるほどの軽傷だったそうで、男はたいそう安心した。すると、医師が男にこう言った。

「とりあえず今日は入院ね」

結局その日、男は病院のベッドで夜を明かした。

男の長い一日がようやく終わろうとしていた。

これは、ある俳優の世界一忙しい日の物語である。

「……あの日は、忙しかったねえ」

男は感慨深げに呟いた。

私は驚いた。というかもう、呆れた。呆れてなんだか落ち込んでしまった。

急に黙ってしまった私を見て、男は言った。

「どう？　エッセイにできそう？」

「できないです」

即答してしまった。

だって連載の一回目にこんな話、くだらなすぎるだろう。

「だよねえ」

男は申し訳なさそうに微笑んだ。

すると、開演のブザーが鳴った。第二幕が開ける。

会場が暗くなり舞台の照明がつくと、男はセリフをがなりながら、舞台中央へと飛び出して行った。

衣装を着替えたばかりだというのに、その背中は汗でびっしょりと濡れていた。

眼鏡はつづく

私は目が悪い。あ、いや、言い方が違うか。

私はとても視力が弱い。近視である。少し乱視も入っていて、ハッキリは覚えていないが以前視力検査をしたときは〇・〇三くらいだったと思う。

普段は分厚い眼鏡をかけていて、仕事のときはコンタクトレンズをつけている。一日使い捨てのソフトレンズだ。

初めてコンタクトレンズを買ったときに眼科の医者に言われた。

「君の目はコンタクトレンズに向いていないから、あまりつけないように」

さらに洗浄して使い続けるものではなく、清潔な使い捨てにしなさいと言われた。

確かに、コンタクトをつけると五分ほどでさっそく目が限界を迎える。もうしんどくてたまらない。ストレスもぐんぐん溜まる。ドラマの撮影などをしているとメイクさんに「星野さん目が充血してますね」などとよく言われる。

　そりゃあ五分でもしんどいのに十時間もつけてりゃあ充血もします。しかしのんびりとしたシーンを撮っているのに一人だけ日野日出志のマンガのように目が充血してたら監督に怒られても仕方がない。なのでキューッと目の毛細血管から血を抜く気持ちで芝居を続行するしかないのである。

　なぜ眼鏡をかけたまま仕事をしないのか。

　だってそれは目が小さくなるんだもん。

　近視用の眼鏡をかけている人は、レンズのせいで目が小さくなって見える。逆に遠視用の眼鏡をかけると目が大きく見える。わかりやすい例でいうと、ケント・デリカットの例の芸だ。

　ここで問題なのは、遠視用の眼鏡は「あ、目が大きい。遠視なのね」と見た目わかりやすいのに比べ、近視用の眼鏡はどれだけ目が小さくなろうとそれがレンズのせいでなっているというのがわかりにくいということだ。単に「すげえ目の小さい人ねー」と思われてしまうので納得がいかない。

　役者の仕事を始めた頃、眼鏡をかけたままプロフィール写真を撮っていたときに事務所の社長に「とにかく目を大きくしなさい！　星野くんはいつも暗い顔してるから」と言われたことがある。心の中では「本当はそんなに小さくないし、暗いわけじゃないんです」と切実に思っていたが、言ってどうなる問題でもなく、その頃はまだ眼鏡をかけたまま仕事をすることも多かったので、そのときはできるだけ目を見開いた状態で写真を撮ってもらった。

今はもう仕事のほとんどでコンタクトをつけているが、やはりそのしんどさは年々増加しているように思う。最近はもうコンタクトでなく眼鏡をかけているだけで目の奥がズーンと重くなってしまうようになり、まばたきの数も随分と増えた。

目が重くなるということは、すなわち頭痛を起こしやすくなるということでもある。頭が痛いと何をするにも集中できない。今この原稿を書いている作業も眼鏡をかけながらパソコンを使っているので、目や肩、腰、頭を駆使しており、いわば「ようこそ偏頭痛」というような状態になってしまっている。

ああ、そんなこと言ってたら頭痛くなってきたな。やはりこのしんどさから解放されるには、眼鏡を外すしかないのだろうか。

試しに裸眼で原稿を書いてみる。

ろころで、子も本買っている人が、なんんいんいるんだろう？　づほくきになえうんですよねー。実は間、この円光は、モスバーバーで、かいています。もう閉店真秘話なので、絵ちょっとあせtyって増す。

はい、今眼鏡かけました。

うわあ。なにこの頭の悪い文章。

おわかりの通り、今パソコンを使ってこれを書いているのだが、私はブラインドタッチがまったくできない。眼鏡を外すとキーボードも画面の文字も全く見えない。しかし、いつもやっている手の動きで文字を打ってみたら、こんな絶妙にわからない変な文章が出来上がった。

ちょっともう一回やってみる。今度は、自分の恥ずかしい過去でも書いてみようか。

rちゅう学生のこと、自分の部屋で、尾奈bしてたら、ドアがバス案としまって、ウシヲを振り向いたらお母さんだったんだよね。もうまるみr。集中しすぎで来拭かなかったみたい。アレスホク恥ずかしかった。

うーん。これは結構わかりやすいか。こちらもせっかくなのでホントのことは秘密にしておこう。頑張って全文違わず当てた方には記念品を贈呈する。宛先はマガジンハウス「そして生活はつづく係」まで。みんなの挑戦、待ってるぞ！

楽しんでる場合じゃない。

私はこのままでいいんだろうか。

眼鏡はつらい。コンタクトはもっとつらい。でも裸眼ではまったく仕事ができない。残される方法はやはり手術しかないのか。

ああ、手術か。私はもう何年も、レーシックという近視矯正手術を受けるかどうかで、悩んでいるのである。

レーシックとは、目の角膜をレーザーでスライスして曲率を下げ、視力を正視の状態に近づける手術のことだ。以前はやる人も少なく値段も高かったのだが、最近はポピュラーなものになりつつあるようで、値段もそこまで高価なわけじゃない。しかし、私はどうしても踏み切れないでいる。なぜなら、やっぱり目を切るのが怖いからなのだ。

だいいち眼球をスライスって言い方がもう嫌だ。スライスって。高校生のときに大人計画の上演台本欲しさに中野ブロードウェイの中にある「タコシェ」という本屋に行ったことがあり、そこに置いてあった知らないアングラ漫画作家が描いた「自分の目にナイフを差し込んでる女の絵」を思い出すじゃないか。あのなんとも言えない気持ち悪い感じ。あれ嫌だったなあ。

単純に自分の体の一部にメスを入れるという恐怖もあるが、それとは別に、視力が上がることによって自分が変わってしまうんではないかという怖さもある。目がよく見えるようになったら堂々とした人間になってしまうのではないか。様々なストレスがなくなりスッキリとしてしまうのではないか。そうすると自分の屈折した部分がなくなってまっさらな人間になってしまうのではないか。そんな恐怖である。

なぜそこに恐怖を感じるのか。それは、私自身が自分の屈折した部分に「食わせて」もらっているからだ。

今まで自分が受けてきた嫌なことや、ストレス、怒り、不満などによって私はいつしか屈折した考え方をするようになった。しかし、そこから生まれたアイディアを原動力にものを作ってお金を稼ぎ、ご飯を食べているという部分もあるにはある。

考え方だけでなく、体調だってそうだ。自分がおなかの弱い人間でなかったら、小学校のときにうんこをもらしていじめられていなかったら、この仕事ではなくもっと真っ当な職業に就いていたかもしれない。

たとえば私がいま何をしていても気持ちよく、健康で、お金もあって、不自由なことなど一つもない暮らしをしているのならば、表現なんてしなくても全然いい。

生きづらさを緩和するために表現をするのだし、マイナスがあるからプラスが生まれるわけだし、陰があるから光が美しく見えるのである。不満がなくなり、全てのことに満足したら何もしなくなってしまうだろうなといつも思う。

だから、逆に不満や不調をなるべくたくさん、自分の心や体が崩壊しないギリギリのラインで保持しておきたい。眼鏡やコンタクトをつけるストレスでさえも、私の仕事の活力になり得るのだ。

それに「見えないもの」があるというのは、いいことでもある。

世の中は見なくてもいいものに溢れている。

テレビで中継される芸能人やスポーツ選手の結婚式。

まだ刑の確定していない容疑者の顔。

旬の芸能人によるアニメ映画の公開アフレコ現場。

女芸人のくびれ。

これら全てのものは視力が弱ければ見なくて済むだろう。主にテレビというものは、見なくていいものや知らなくていい情報までをも流してしまう。まあ、スイッチを切ればいいだけの話なんだけど。

あと、視力が上がったらお風呂場の汚れとか今まで見えてなかった部分がすごく気になると思うよ。

そういったものも、できれば見なかったことにしておきたいのだ。

また、目がしっかり見える人と見えない人とでは、音楽の聴き方も全く違うはずだ。さらに裸眼で観る映画と眼鏡越しに観る映画とでも、観え方は確実に違うだろう。私は後者が劣っているとは思わない。その差異も個性であると思う。顔の形や声の質、体つきや性格。自分を形成する全ての要素は、日々「自分対なにか」の計測を行っている。たとえば「自分はひょろひょろだがあの男はムキムキの筋肉マンだ」とか「親は目がいいのに自分はド近眼だ」とか。そしてはじき出された計測結果は自身の「感受性」に影響を与え、そこから自分の考え方というものが形成される。

視力の弱さは目が悪いということとは違う。それはその人に与えられたチャームポイントだ。そのチャームの集合体がその人であり、その人が生み出すものにダイレクトに影響を与える。せっかく自然に生まれた「感受性のチャームポイント」を矯正してしまうのはもったいない。

そういうことで、レーシック手術はやっぱりやめである。

原稿書いてるうちに決心がついた。私はレーシック手術はしない。視力の弱さを最大限おもしろがることにした。

試しに、眼鏡を外して街に出てみる。

これが、かなりおもしろかった。

案外見える。家の中で眼鏡を外すと絶望的に見えない視界が、広い場所に出るとなにがなんだかよくわかる。あ、バイクが向こうから来る。あそこに人がいる。信号は赤だ。ものすごくぼんやりとした視界でも、わかることは山ほどあった。

通り過ぎる人の表情はわからないので、知人に会ったときに気づかずに無視してしまう可能性があるが、眼鏡をかけていても人見知りしてしまうときもあるので、別にそれはいい。

コンビニに入ってみて気づくこともあった。眼鏡を外すとパッケージがちゃんと見えない。見えないから中身を想像する。重さを感じる、振って中身の音を聞く。それは今まで自分がいかにパッケージの見た目だけを頼りに物を購入していたかを思い知らされた瞬間だった。

さらにスーパーマーケットに入ってみる。

野菜も見た目のキレイさではなく、手触り、匂いで判断しようとする。端《はた》から見たら異様な光景かもしれないが、眼鏡を外した瞬間に五感を使って物を選ぶということを自然とやっている自分に驚いた。私は目に頼りすぎていたみたいだ。

眼鏡を外してギターを弾く。

意外と弾ける。

眼鏡を外して木琴を叩く。

意外と叩ける。

眼鏡を外して、コンタクトもせずに芝居をしてみる。

これがかなり楽しい。相手の芝居が見えないので、声を頼りに芝居をする。集中力が増す。なんだこれ、意外と全部できるじゃないか。

前言撤回。これは、楽しんでる場合である。


これじゃらは、たまには眼鏡を外して志保とし手にもウッイェ。

……文章は無理か。

ほんとうにあった鼠シリーズ

「はたち」

漫画…小田扉

原作…星野源

チョコレート豆ちょこ
◎甘い
◎とける
◎甘い
ぱくぱく
チョコ食ってTVみてる場合じゃねー
洗濯だ
じーっ…
…

インフンド
小銭
ねーや
¥200
5000
ンビニ
5000
24
うへー
少女
マンガ
あっ
洗濯!!
週刊 女
CHOCO
TEROL
テロル
4990円の
お返しです
24

ふー…
ん?
あっ!!
な…
なんだこれ…
CHOCO
ぐーぐー
ちくしょう…
俺のチョコ…
俺の…
チョコ…

くそー あいつの仕業か…
バイトから帰ってきたらつかまえてやる!!
覚えとけよ!!
レストラン
!
何やってんだてめー
どうせ捨てるんだからいいじゃん!!
和光荘

うっ!!
くそ…
あいつだ!!
どこだ!!
出てこい
ひきょう者!!
あ!! いい曲
できた!!
ネズミをー
さがすー
寝ずにー
ひょこ
うわ!!

スパーン
…フン
チューチューチュー
チューチュー
…よし!!
英会話
ビンター♪
バカー

…そういや あのネズミ どうしたろう
あれから 一週間か…
和光荘
ビリリ
ま、天井ウラ 食いやぶって よその部屋に でも行ったかな
あ…
なんだよ…
お前そんなに ヤワじゃ ないだろ…
ちぇっ… お前が悪いん だからな…
公園
ごそごそ
!

CHOCO TEROL
テロル
ブスッ
…あっ
もうお前んじゃねーだろ!!

ひとりはつづく

1

たとえば三人で道を歩いていると、自然とひとりきりになる。とびきり仲の良い三人ならわからないけど、仕事仲間や顔見知りくらいの間柄で話をしながら歩いていると大抵二人と一人の構図になるもので、その場合私は後者になることがとても多い。

昔から、ひとりでいることが好きだった。

家にいるときは、いつもひとりで歌っているか踊っている。あと、似てない物まねを延々と繰り返したりする。ゲームをしているときは画面に向かって何かしら喋っているし、掃除をしているときにふと昔の恥ずかしい出来事やトラウマを思い出してギャーと

叫んだりする。ひとりだと、特に周りを気にせずいろんな発散ができる。

　バンドメンバーといるときや、芝居の稽古中でもよくひとりになってしまう。それは別に仲間はずれとかひとりぼっちとかいうことなのではなく、人々のなかでボケーっとアイディアを考えたり、いろんなことを想像しているのがとても楽しい。

　小さい頃、お盆や法事などで親戚同士の集まりがあったりするとすぐに退屈になった。しかし外で遊ぶわけにもいかず、その場から離れることができないような状況だったりすると、周りを盗み見して変だと思えるものを探していた。

　たとえばあのおじさんがもう少しで寝てしまいそうだとか、そこにいるおばさんのほくろの位置がなんか変だとか、この人は話を聞いているようで全然聞いていないなとか。そうしてこっそり見回しておもしろがっていると、大勢の中にいるのに自分ひとりがぽつんと浮いているような感覚になった。

　兄弟がいないというのもあるかもしれない。

　私はずっとひとりだった。

2

その作品はあるスポーツをテーマにしていた。

出演者に求められるのは、演技力とそのスポーツをこなせる能力。撮影の前に長い合宿期間があり、そこで習得した技術をストーリーのクライマックスである最終回の放送でお披露目することになっていた。

ある夏の日、私はなぜかその合宿会場にいた。オーディションに受かってしまったのだ。いや、受かったのはとても嬉しいことなんだけど、私は昔から運動神経がまったくない。身体能力を見る実技テストもあったのになぜか通ってしまった。いやいや、通ったのはいいことなんだけど、合格を知ってからずっと、上手くできるかどうかが頭の中を埋め尽くしていて、すごく不安だったのである。

オーディションを通過したのはほぼ三十人。その競技で大事なのは一体感とチームワークだ。周りを見ると、見るからに運動神経の良い人たちが並んでいる。少し自分に似た弱々しい雰囲気の人はいたけど、ほとんどは私より年齢も若く活発で、とにかく体力がありそうだった。

そして、合宿は始まった。

想像以上に厳しい特訓メニューは、それまでスポーツをほとんどやってこなかった身としてはあまりにもキツく、私はとにかくみんなの足を引っ張り、迷惑をかけた。

教官の教え方はわかりやすくスパルタだった。できない者は容赦なくしかり、できる者も褒める一方で油断しないように厳しい課題を与えた。私は特訓中、ずっと怒られていた。一番嫌だったのは時折課せられる連帯責任で、何か失敗をするたびに皆の冷たい視線が痛かった。

「やめたいです」

合宿二日めに事務所の社長に泣きながら電話した。

「やめてもいいけど、もう出演決まってるんだし、やめたらうちの事務所もやめなきゃいけなくなるよ。それでもいいの？」

もうちょっと頑張ることにした。

しかし、いくらクビがかかっているとしても三十人の中で一番できない男という地位は変わらない。唯一の安らぎは食事の時間だったが、人間は疲れすぎると食欲がなくなるらしく、おまけにちょっと動くだけで体中に激痛が走るほどの筋肉疲労で、箸を動かすのもつらく、あまり食べられなかった。

精神的にもボロボロになってきて不安と重圧で夜も眠れないし、できた口内炎の数は二十個を越えた。鏡で口の中を見たときはあまりのことに笑ってしまった。

十日間が過ぎ、ひとまず合宿は終わった。今度はもっと広い所に場所を変え、より本格的な特訓に移る。

内容はさらに激しくなり、あまりの厳しさに気絶しそうになったこともあった。少し慣れ始めてはいたものの、私は相変わらずのできなさで周りに迷惑をかけ続けていた。こんな状態ではみんなの輪に入ることなどできない。たまに話をしてくれる人もいて嬉しかったけど、もともと仕事は仕事と思っているので、無理に仲良くして友達を作ったりすることはしなかった。とりあえず、心が壊れて狂ってしまわないように必死で特訓するしかないと思っていた。

ある日の朝、いつものように全員が集められた。

普段だったら、今日の特訓メニューを発表されているはずなのに、みんな妙に静まり返っていた。しばらくすると、険しい顔をした教官がゆっくりと口を開いた。

「最近何人かから報告を受けていることなんだが……ちょっと問題がある」

問題？　どうしたんだろう。こんなの初めてだ。誰か怪我でもしたのかと思った。

「実は……星野に友達がいない」

……言っている意味がわからなかった。

「星野に友達がいないんだ」

俺⁉

そう思って一気に背筋が寒くなった。

教官の話では、星野がダラダラと特訓を受けているのが気に入らない。星野には仲間に入ろうとする意志が見られない。星野が友達を作ろうとしないのはなぜだ。誰かはわからないが、そういった報告がいくつか入っていたらしい。

「この際だから、みんな普段思っていることを星野に言ってみろ」

やめてくれ、友達はいらない。ただ演技が、芝居がしたいだけなんだと言いたくなったが、そんな度胸もなかった。これは一種の公開処刑である。私はそれから数十分、共演者に自分のダメな部分を責められ続けた。

あまりのことに、何を言われたかはよく覚えていない。ある人は怒鳴ったり、ある人はイヤミを言ったり。とにかくもっと頑張れと怒られた。そのとき、私はただ恐怖を感じていた。だれも擁護してくれる人はいないのだ。今考えれば、そんなことをできる空気ではなかった。そこに個人の自由はない。こんなときの集団は恐ろしい。でも仕方がないと思う。私も自分の意見を言えなかった。

「そんな感じじゃあ、星野くんはこれから芸能界でやっていけないと思いまーす」

唯一覚えている言葉がこれだ。そう言われて私の中の何かが折れてしまった。ただ謝った。みんな自分のことを憎んでいたのだと思い込もうとした。心の中を申し訳ない気持ちでいっぱいにし、それまで自分の中にあった「このやり方はおかしい」「なんでそんなこと言われなきゃいけないんだ」という疑問を握りつぶした。

そんな私を見て、教官は全員に特訓開始を命じた。

それからというもの、私はみんなと話せるようになり、その仕事をしっかりと最後までやり切ることができた。そして、事務所もやめずに済んだのだった。

先日、そのとき共演したある俳優に撮影以来初めて会う機会があった。

ニヤニヤしながら、彼は開口一番に言った。

「うわ、全然がんばらなかった人だ」

そうです、私が全然がんばらなかったおじさんです。

「そうだねえ」

と言って、私は笑った。

あのとき折れてしまった私の中の何かは、今でもそのままである。

世の中から、きんたまが減ってきているんじゃないか！

3

高校生の頃、下級生の間で暴行事件が起こった。その一件はすぐに学校内で問題になり、加害者の生徒を退学にするか否かクラスで話し合いをしたことがあった。もちろん真面目な議題なので皆真剣に話し合っている。それはとてもいいことだった。話し合うことは大切だ。しかし、やはり集中力がもたず、いけないとは思いつつも先生が着ている半袖Yシャツのワキの部分に染みている汗に着目してしまい、こっそりと「真面目なこと話してても腋汗出ちゃってたら台無しだよね」などと隣の生徒に耳打ちしたりしていた。

これが世に言うきんたま発言である。

自分でも不謹慎だとわかっているのだが、こういったことがどうにも止められない。たとえば、ものすごくカッコいいと支持されているイケメンの歌手が、ぴちぴちの革パンを穿《は》いてテレビに出ていたとする。

私はそこでいつも「とにかく股間が窮屈そうだ」と考える。「あんなにぴちぴちなのにモッコリしていないということは彼のあそこは相当小さいのではないか」とかも考えてしまう。格好つけるために穿いているキツいズボンのせいで存在を迫害されてしまうきんたまのほうに気持ちがいってしまうのだ。

もし私がその歌手の事務所に属しているスタッフなら、「ちんちんの小ささがバレるんで穿くのやめたほうがいいですよ」と言いたくてたまらなくなるはずだ。そんなことしたら、なんだコイツはと即刻クビになってしまうだろうが、そんな発言をする奴がたまにはいてもいいのではないかとも思う。

どんなに偉い人でも、総理大臣でも、キレイに着飾ったアイドルでも、やはり男性ならば股間にきんたまがぶらぶらしていることに変わりはない。それは一見マイナスポイントのように人の目に映り、つい「できれば見なかったことにして欲しい」と思ってしまう。

しかし実際、きんたまのことを考えると冷静にものが見られる。上辺だけの格好よさに惑わされない。こんな情けないものをつけている人が格好つけてもなんだかなあと思えるようになる。きんたまは人をゆるやかに平等にしてくれるのだ。

ちなみに、ここでいうきんたまはメタファーであるので、なにも実際のきんたまでなくても構わない。

たとえば、以前大ヒットしたある映画作品の話だ。当時、私はその出ている俳優たちの芝居の感じに、少し戸惑っていたのである。

別にシリアスな話でもないのに、出演者たちは真剣に、常に目を充血させプルプルと震えながら演技をしている。感動のシーンになると全員の役者が鼻水を二十センチほど長く垂らし、いっさい拭わずにぶらぶらさせながら泣きじゃくる。感情移入するどころか、あまりに迫真すぎて逆に演じている役者の地が見えてしまい、観ていてなんだか気が散ってしまう。

しかし、この作品に触れた人はみな心の底から感動しているようである。

私はこの作品を馬鹿にしたいわけではない。好きな部分だってもちろんある。でも、変だなと思う部分も確実にあるのだ。その違和感をツッコんで誰かと笑い合うことができたら、きっと作品全部を受け入れることもできたんじゃないかと思う。

しかし、周りでそのことを口にする人は誰もいなかった。

いや、実際変だと感じる人も絶対にいるはずなのである。しかし、その生じた違和感を「見なかったこと」にしている人が多かったのではないかと推測する。無意識に感じなかったフリをしている人、意識的に言わないでおこうとしていた人。おそらく私もその中の一人だ。

公の場でこの作品を少しでも悪く批評しようものなら、その人は「こんな感動的な作品を否定するなんてなんたる鬼畜」と袋叩きにあっていただろう。そうはなりたくないという空気が当時少なからずあった。

「あの鼻水、合計で何センチ？」

とかいうきんたま発言を、とても恋しく思うんだけどな。

4

中学生の頃、あるバンドのCDを購入した。

カセットテープにダビングして、ウォークマンで何度もリピートして聴いた。他のアルバムも買った。そのバンドの曲は全部いいと思った。CDジャケットもオシャレだと思った。インタビュー記事が載っている雑誌も買って読んだ。言ってることにいちいち感動した。ちょっとでも悪く言う奴がいると、そいつのことをすっかり嫌いになった。私はある時期、そのバンドにどっぷりと浸かっていたのである。

高校生の頃、ある劇団のことを好きになった。

知り合いから「おもしろいらしいよ」と聞いて、一人で観に行った。衝撃だった。最高におもしろかったし、重い内容に随分と考えさせられた。

主宰者のインタビュー記事が載っている雑誌も買い漁り、毎日読みふけった。いちいち言っていることが素晴らしくて、なんてすごい人なんだと思った。観る芝居観る芝居全部おもしろかった。役者も素晴らしかった。完璧な劇団だった。批判している人を見ると、とにかく腹が立った。なぜテレビはこの人たちをもっと取り上げないのかと疑問だった。私はあの時期、その劇団にどっぷりと浸かっていたのである。

でも今考えると、そのとき私はたくさんの嘘をついていたのだ。

中学生の頃に夢中になったバンドの曲も、全部好きなわけではなかった。聴いているのが苦痛な曲もあったし、言っていることが変だなと感じるインタビューも時にはあった。オシャレだと思っていたCDジャケットも、実際はそうでもなかった。

劇団にだって好きじゃない部分はあったし、おもしろくない公演もあった。一部ブラックすぎる表現があり、そこに引いてしまっている自分もいた。

しかし、当時の私はその気持ちをまったく無視したのである。

自分に嘘をついてまで、この人たちの全部を好きでいようとした理由は、今となってはよくわからない。身近にそのバンドの曲を聴いたり、その劇団を観に行ったりしている友達はほとんどおらず、ブームになっていたわけでもないので周りに合わせてそうしていたわけでもない。

当時、私は曲を聴くたび、公演を観に行くたびに、自分の心に生まれる違和感を必死に消し去ろうとしていた。気づかなかったことにしていた。

今では、発表する曲の全てを好きになれる音楽家なんていないし、全公演最高におもしろい劇団なんかありえないと、当然のように思っている。どんな人でも、生涯を通じて完璧なものを作り続けることはできないし、しかも、それが全て自分の好みに当てはまる確率はとても少ない。

でもそれは悪いことじゃないし、当たり前である。

なぜそのことがわからなかったのか。自分に嘘をつき続けてきたのか。

私は今でも、本当によくわからない。

5

手と手をつないで、ふたつになろう

これはある曲の歌詞である。誰が書いたものかは知らない。昔、知人がこの部分の歌詞だけ教えてくれた。

「これさ、普通は『手と手をつないで、ひとつになろう』じゃない？　変だよね」

数年前からまったく連絡の取れなくなってしまった知人の、当時の弁である。

私もそう思った。「当たり前すぎるじゃないか」と。しかし何か引っかかるものがあり、いつも心の片隅にその歌詞があった。

それから何年かが過ぎ、あるときハッとその意味がわかったような気がしたのだ。

高校生の頃、大好きなバンドのライブに行ったのに「ひとつになろうぜ！」とボーカルに煽《あお》られた瞬間、なんだかポカンとしてしまっていた自分。アフリカ難民を救うチャリティー番組の中で掲げられた「世界はひとつ」というスローガンを見てもいまいちピンとこなかった自分。連帯責任という言葉に激しく嫌悪感を感じる自分。

私はそれまで、周りにあまり溶け込めない自分だけがひとりなのだと思っていた。しかしそれは大きな勘違いだったのだ。

ひとりの集合体で集団や組織は形成される。どんなに結束力の強い集団でも、顔も、声も、考え方ひとつとっても全部違う。たとえ北朝鮮のパレードのようにどんなにまとまって綺麗に動きがそろっていたとしても、それは「ひとつ」では絶対にない。ひとりひとりが集まった「たくさん」だ。どんなに愛し合っている男女も、ひとつになることは決してできない。どう頑張っても「ふたつ」もしくは「ふたり」だ。

集団の中に長くいると、自然と「一致団結しなければならない」と感じるようになってくる。その集団が前向きであれば前向きであるほど連帯感を大事にし、次第に「全員がひとつの方向を向くべき」という思想に傾く。全員をまとめるリーダーが生まれ、人数が増えるにしたがって大人数を纏《まと》めるルールが生まれ、その集団を維持するための流れが出来上がる。そして、その流れから少しでもはずれたり浮いてしまうと仲間はずれにされ、そこで追い出されたくない者は、あわてて全体の流れに身を投じて「ひとり」であることをやめ、集団と「ひとつ」になることを目指す。それが、この日本の社会から生まれる、集団の基本的な「和」のしくみであると思う。

でも、やっぱりそれは少し窮屈だと思えてならない。

みんなばらばらでいいじゃないか。そう思えるようになってからはずいぶんと楽になった。それまでは周りにうまく合わせられないことに罪悪感を感じていたのだけど、そのときから集団の中でひとりになることを堂々と楽しめるようになった。

本当に優秀な集団というのは、おそらく「ひとつでいることを持続させることができる」人たちよりも、「全員が違うことを考えながら持続できる」人たちのことを言うんじゃないだろうか。

6

いつも行っているレストランで、大好きだったあの料理がメニューからなくなっていることに非常にショックを受けた。

またかと。いつもそうだ。

自分の大好きなお菓子が発売中止になったり、おもしろいと思って毎週楽しみにしていたテレビ番組が早々に打ち切りになったり、私が好きになるものは割といつも早くなくなってしまう。なんでだ？

7

ニューヨークに在住している日本人の音楽家が、テレビ番組のインタビューでこんなことを語っていた。

「9・11のとき、あんなに自由だった街の雰囲気が一変したんです。国民全体が戦争を支持するほうに傾いていくのがわかった。僕はイラク戦争は間違っていると主張したし、僕の周りのリベラルな人たちも当然反対していた。けど、あのとても言い出せない雰囲気は、すごく怖かったですね」

なるほど。

それは規模は違えど、あの鼻水映画のときとほぼ一緒ではないかと思った。

もし、自分がその立場だったらどうだろう。

どこかの国からミサイルが撃ち込まれ、日本全体が怒り狂って戦争に突入しようとしたとき、私は総理大臣のきんたまのことを声高に言うことができるだろうか。日本におけるきんたま的なものの存在を訴えることはできるだろうか。あの情けない形をしたきんたまに戦いは似合わないと、しっかりと言うことができるだろうか。やっぱりどんな理由があっても、人の命は奪っちゃダメなんじゃないかと思い続けることが、私にはできるのだろうか。

大きく傾くであろう世論の中で、私はいつものようにひとりになれるだろうか。

わからないが、もしそうなったときはとりあえず、自分のきんたまをモミモミして、まずあるかどうかを確認しようと思う。

8

「うわーひとりじゃなかった」と思う日が、来たりするのだろうか。

誰でも周りに生かされている部分がある。生まれてから死ぬまで人の助けをいっさい借りない人など、この世にはいないだろう。

今まで、それはもうたくさんの人に支えてもらってきた。数え切れないほど感謝の言葉を口にした。お世話になりっぱなしの人生である。しかし正直なところ、心の底から全員に感謝できていると、自信を持って言うことができない。もう忘れてしまっていることもあるし、親や親戚など、身内であるということに恥じらいを感じて素直になれない部分もある。いつかはしっかりと恩返しをしなければならないと思う。

私は、「皆とひとつ」になることが苦手なために、必要以上に「ひとり」になり、お世話になった大事な人まで蔑《ないがし》ろにしてしまうところがある。「ひとり」が過ぎるとあまり良くないということも、なんとなくわかっている。

でも、たとえばいつか結婚したり、子供ができたりしたら「自分はひとりではない」と感じられる日が来るかもしれない。「手と手をつないでふたつになる」ということが、「ひとりとひとり」ではなく「ふたり」であるという実感を持てる日が来たら、素直にもなれるのかもしれない。

今日、マイケル・ジャクソンが亡くなった。

そのことを知ったときに異常にショックを受けてしまい、有名人の死で初めて涙が出た。なぜそこまで好きだったのかというと、もちろん歌や踊りが素晴らしいという部分もあるけど、あんなにたくさんの人から愛されているのにもかかわらず、生涯を通してとても孤独そうな人だったからだ。

死ぬ間際、彼はひとりだったのだろうか。それとも、そうではないと感じながら逝《い》けたのだろうか。小さい頃から、埼玉県の片田舎で勝手にシンパシーを感じていた私は、そこが気になって仕方がない。

あと少しで死んでしまうというとき、走馬灯のように人生を振り返って「ああ、ひとりじゃなかったんだ」と思えたら、きっとすごく幸せなんだろう。けどもし自分がひとりでないなら、なるべく早めに気づきたいとも思う。

いつかくるかもしれないし、死ぬまでこないかもしれないその日まで、私はいつものようにひとりきりでいるだろう。

そして、いつものように生活はつづくのだ。

というしんみりした雰囲気で終わらそうとしたのである。

やっと全部書き終わって、編集さんに電話をかけようとした。

…………。

電話止まってるっていうじゃん。

コンビニ行ってきます。

文庫版特別対談

「く…そして生活はつづく」

星野源×きたろう

きたろう●1948年8月25日千葉県生まれ。中央大学文学部卒。1971年、劇団俳優小劇場の解散後、大竹まこと、斉木しげる、風間杜夫らと劇団「表現劇場」を結成。1979年から大竹、斉木とコントグループ「シティボーイズ」の活動を始め、『お笑いスター誕生!!』で10週勝ち抜きグランプリを獲得。その後、活動の場を広げ、シティボーイズとして舞台公演を続けながら、俳優、タレントとして活躍する。最近の出演作は、ドラマ『平清盛』(NHK)、『11人もいる!』(テレビ朝日)、映画『横道世之介』(2013年公開)、『天地明察』、『劇場版 TRICK　霊能力者バトルロイヤル』など。囲碁が趣味で、2012年から『囲碁フォーカス』(Eテレ)の司会も務める。

きたろう 本、読みましたよ。いや、源くんが書いてるんだからそれほどでもないだろう、っていう低めの基準値から読んだからさ、ものすごくおもしろかった（笑）。源くんはギャグをわかってるよね。俺は「きんたま発言」がいちばん好きだったな。

星野 前半の発言が気になるけど、ありがとうございます！

きたろう 「きんたま発言」の感覚を持ってる人って意外といそうでいないよね。

星野 そうですね。僕は小学校高学年ぐらいから、母親にすすめられてシティボーイズライブの映像を見始めたんです。この本でも、きたろうさんの出ている「ピアノの粉末」っていう大好きなコントをたとえに使ってるんですけど、シティボーイズの作品は子供ながらにすごく衝撃的でした。その中で、きたろうさんは独特の立ち位置で、ボケだけど、斉木（しげる）さんが無自覚にしたボケにズバッと斬り込んだりしていて。きたろうさんはいわゆるボケ、ツッコミだけではくくれない絶妙な立ち位置にいますよね。そして割と「きんたま発言」的なことをされるというか……。

きたろう うん、確かに俺もするよね。あと、俺の経験だと蛭子（能収）さんは「きんたま発言」が多いと思った。蛭子さんと一緒にドラマやった時に、俺が刑事役でビルの管理人役の蛭子さんに向かって「こういう人を見ませんでしたか？」って言うシーンがあるんだけど、次のセリフ言えないくらい蛭子さんが笑うんだよ。何回言い直しても、そこのところで絶対笑うわけ。

星野　NGになっちゃうんですね（笑）。

きたろう　そうそう。で、スタッフもとうとう怒り始めて「いいかげんにしてください！」って一回休憩になったの。その時、蛭子さんに「何がそんなにおかしいんだよ」って言ったら、腹かかえながら「いや〜、きたろうさんが刑事やってること自体、おもしろすぎて！」ってかなりの「きんたま発言」が飛び出したんだよ。おかしくてあり得ないって言うの。実際、その感覚は当を得てるっていうかさ。だって、こんなにちっちゃくて弱そうな刑事なんていないよ。だから、本質を衝いているのかもと愕然としちゃってさ。それからは刑事役がくるたびに、自分でも役柄を疑いながら芝居してるよ（笑）。

星野　でも、そんな刑事もリアリティがあるような気がしますけどね。自分のらしくなさにハラハラしてる刑事（笑）。

●新しいものが生まれる瞬間!?

きたろう　源くんに初めて会ったのはドラマ『11人もいる！（以下、11人）』の現場で、その時に源くんのソロのCDをもらって、ああおもしろい曲だなと思った。源くんの見た目のイメージと歌がピッタリだよね。ちょっとダメーな感じの（笑）。

星野　ちょっと！（笑）。僕はもともと、テレビとか舞台できたろうさんを見ていたけど、すごくおもしろくて不思議な雰囲気の人だなと思ってました。で、『11人』で初めてお会いした時に、何て言うんだろうな、多分、奥底にはすごい真面目な部分や考えがいっぱいあるんですけど、それをボケの壁で隠してるなあと思いました。

きたろう　お、見抜いてるねえ（笑）。

星野　『11人』の撮影で僕が一番驚いたのは、外で何か大きな事件があって、みんなで部屋から出て行くっていうシーン。カメラが外にあって、ドア開けて「どうしたどうした」って急いで出て行かなきゃいけないんですけど、「用意スタート」って言われて外にいこうとしたら、きたろうさんが僕を全力で止めるんです（笑）。全然離してくれなくて「本番中ですよ！」「バカ！」って言って振り切って、なんとか撮影は止まらずに続いたんだけど、きたろうさんはすごく満足げにニヤニヤしてて。

きたろう　源くん、それが段取りじゃない「リアル」ってことだよ。新しいものが生まれる瞬間ね！

星野　嘘！（笑）。なんか止めてみたかっただけですよね？「リアル」って言うとなんかもっともらしいですけども。

きたろう　いやいや、やってみただけだけどね（笑）。まあ、やり方は間違っていても、楽しい雰囲気っていうのは画面にちゃんと出るからね。俺はこういうことをよくやるんだよ。この前は映画で前川清さんと共演してさ。幼なじみ役の前川さんと俺がバーのカウンターで老後について深刻な話をするシーンで、俺はカウンターの中でずーっと前川さんの股間を触っていた（笑）。

星野　えー!!　それ、前川さんはどんな反応なんですか？

きたろう　前川さんは少し笑わなきゃいけないシーンでさ、素直な笑いが出てたよ。最初は、映画初主演だって緊張しきっていてね。これは映画の先輩である俺が何とかしなきゃと。緊張の中、「あれ、なんかもぞもぞしてるぞ」ってふと下半身を見ると、自分の股間に俺の手なんだ。

星野　やさしい！（笑）。

きたろう　そう、俺はやさしいんだ。まあでも、驚いただろうな、初対面でキンタマ触られたら。

星野　あれ、ここでまたキンタマにつながりましたね。

きたろう　つながっちゃったね。

●「飛べ、亀よ」!!

星野　僕は中一から学校で音楽と演劇を始めたんですけど、きたろうさんは俳優を目指したのはいつですか？

きたろう　俺は最初に舞台に立ったのが小学六年生。学芸会で『おらぁサンタだ』っていう劇でサンタをやってね。本当は野球選手にもなりたかったんだけど、人前に立って何かやるのがすごく楽しくてさ。お客さんに喜んでもらえるともっと楽しくなるね。

星野　その後もずっと俳優を志していたんですよね？

きたろう　大学四年の頃には大学で演劇やって、松戸市民劇団でやって、プロっぽいところにも出て、四つくらい掛け持ちしてたよ。全然メジャーじゃないんだけど、古関くん（きたろうさんの本名）を使いたいっていう人が多かったんだ。でも、大学一年の時はドストエフスキーなんか読んじゃって相当暗くてさ。周りのやつがみんな俗物に見えて、半年ぐらい人と話すのがイヤになった時期があった。文学青年まではいかないけど、影響を受けやすいから、周りの人間が消費に走っている姿を見て「もっと人は精神的に生きられないのか！」なんて苦悩したりして……。だけど、最終的に俺が一番俗物だってことに気づいたの。そこに若くして気づいたのが、俺の偉いところだね（笑）。

星野　ごまかさないで認めて、受け入れたんですね。

きたろう　そう。そこからすごく楽になった。つっぱってるとダメだね、何でも。

星野　大学で文学青年されてた頃に、小説や戯曲を書いたことはないんですか？

きたろう　台本とか、詩とかは書いた。詩集は売りましたよ、僕は。

星野　それ、何歳ぐらいの時ですか？

きたろう　十九歳とか二十歳。シティボーイズのみんなと出会った時で、食えなかったから劇団の養成所の頃か。バイト先の焼き鳥屋の屋台で焼き鳥を売るんだけど、その横で俺の詩集も売って、完売したの（笑）。

星野　すごい（笑）。どんなテーマの詩だったんですか？

きたろう　いやぁ、ちょっとすごいよ。「飛べ、亀よ。歩き疲れて唾を吐け！」……そういう、ちょっと大江健三郎的な、こっぱずかしくなるスゴい詩。

星野　しっかり覚えてますね（笑）。

きたろう　そのフレーズだけね。「飛べ、亀よ」だって。亀は飛ばないっていうの（笑）。親が寝静まった深夜、自分の部屋でせっせと書いてた。その頃、日記もつけていて、俺、中央大学だったんだけど、日記につけたタイトルが『くそ中央大学』！

星野　「くそ」がついてたんだ！

きたろう　そう、反骨精神があった。源くんのこの本も『くそして生活はつづく』だもんね（※二〇〇ページ参照）。素晴らしい発見だよね。誰があれ、見つけたの？

星野　僕は気づいてなかったんだけど、単行本カバーの文字を書いてる大原大次郎さんっていうデザイナーさんが発見してくれたんです。「く」から始まると、「くそして」になるよって言われて、あっすごい！　って。

●身に覚えのない才能と根拠なき自信

きたろう　で、源くんはさ、どこで自分の才能に気づいたの？　俺は天才だって（笑）。

星野　天才……まったく身に覚えがないですよ（笑）。

きたろう　じゃあ、微妙な才能があるなって気づいたのはいつごろなの？

星野　微妙って……。音楽も演劇も中学からずっとやってて、才能っていうより、続けていればいいことあるんだなと思ったのは大人計画に拾ってもらった時ですね。それまでは、芝居も音楽もそんなにほめられたことなかったし、「どっちかに絞った方がいいんじゃない？」ってよく言われてたんです。でも、この本にも書きましたけど、事務所の社長が「おもしろいじゃない」って言ってくれて、芝居も音楽もお仕事としてもやっていくうちに、ちょっとずつ「芝居おもしろいね」とか「音楽いいね」とかって言ってもらえるようになったんです。「続ける」才能はあったのかもしれないですね。

きたろう　でも、どこかで自分に自信がないと、やっぱり持続できないじゃない。核の部分では自信があるんだよね、たぶん。

星野　なんかこう、根拠のない自信っていうか？　「自信ないけど自信ある！」みたいなのはあったと思います。でも、それは才能とはちょっと違うのかなと思うんですけどね。

きたろう　俺も、演じてる時は「俺、すごい才能だ！」と思うんだけど、自分の作品を自分で観た時に「こんな才能ないのかな、俺は」ってしょっちゅう思う。

星野　そうそう、それものすごくありますよね。きたろうさんでもそんなこと思うんですか？

きたろう　みんなあるよ。現実に、自分の出演作を監督にすごくほめられて、映画館で観たらあまりにもひどくて自殺した役者さんがいるんですよ。それだけ役者の絶望感はすごいものがある、意外とね。もうこの世界で生きていけない、才能がないと思う瞬間は、たぶん役者やってる人じゃないとわからないと思うな。

星野　本当に絶望しますよね。この仕事って、ほめられたり、後で観たら最悪だったりの繰り返しじゃないですか。それをどういうふうに乗り越える、というか、ごまかしていくんですか？

きたろう　すぐ忘れる。次、次って。そうじゃなきゃやっていけないよ。

星野　僕の場合、役者の落ち込み、音楽の落ち込み、文章の落ち込み……もちろん、好きでやってるからいいんですけど、立て続けに来るんですよ。「次」って流しても、別の落ち込みがまたすぐ来ちゃう（笑）。

きたろう　いやいや、そう落ち込む必要はないよ。これだけの本が書けるんだから。

……俺がそばにいて励ましてやるよ（真顔）。

星野　濡れました。きたろうさん、カッコよすぎる！（笑）。

きたろう　でもさ、基本的にものを作る時に「真面目」は絶対大事だよね。真面目や努力ってイヤだけど、でも何かが生まれるのはその後だけ。俺は稽古が嫌いそうに見えるけど、意外と好きなの。要は「真面目」に稽古して「不真面目」さを作っていくわけ。

星野　そう！　そうですよね。

きたろう　演劇の場合、何のために稽古をするかっていうと、「稽古をしていない」っていう風に見せるために稽古をすると思うんだよ。若い人なんかは、一所懸命稽古したら、これだけ稽古したよっていうのを見せたくなっちゃう。でもそれだと、自分から抜け出せていないわけで、芝居からはみ出しちゃう。だから、俺らはその倍稽古して、稽古してないっていうところを見せていかないと。真面目に取り組み、やることは不真面目というのが基本ね。やっぱり人間は真面目さがないとダメ！

●く…そして生活はつづく

星野　この本は、自分のダメな部分をなんとかおもしろくしよう。おもしろがれたら、そんな自分も好きになれるかな、みたいなテーマで、自分のダメな部分をなるべくそのまま書いた本なんです。好きになってちゃんと一歩前に進みたいっていうか。
きたろう　そうだよね。クソ垂れ流してるような本だけど、最後に哲学的なことを書いてたりする。そこがまた、源くんの憎たらしいところだよね（笑）。みんないずれ死ぬけど、生活は続くんだ、みたいな虚無的なことを言っちゃって。……モテるでしょ？
星野　なんですかそれ（笑）。でも確かに昔よりはモテるようになりましたよ。
きたろう　金が入るようになったからだね。作品がお金に変わってきて、ようやく女子は「あ、この人ステキ」ってときめくんだ。
星野　お金か！（笑）。ちょっと今、目が覚めましたよ。魅力が上がったと思ってたのに……。
きたろう　俺もさ、若い時はモテたんだ。高良健吾みたいな顔してたし……。
星野　嘘だー！（笑）。
きたろう　ウソじゃないよ、ほら！（と言いながら手帳に挟んだ写真を出してくる）
星野　ほんとだ！　似てる！
きたろう　な。こんないい男だったから役者を志したんだって。ほら、この写真だって不良っぽくてカッコいいだろ？
星野　……ちょっとカニにも似てますね（笑）。
きたろう　……高良健吾とカニに似ててモテたんだよ（笑）。

単行本版あとがき

みなさま。

感謝の言葉は、やはり敬語で言いたいものです。

最後まで読んでいただきありがとうございました。

この本は私の初めてのエッセイ集です。

高校生のときに松尾スズキさんの初エッセイ『大人失格』を読んで以来、ずっと自分の本を出すことを夢見て暮らしてきました。今回その連載担当をしていた編集の黒瀬朋子さんと一緒にお仕事できたことを、とても嬉しく思います。

なにからなにまでお世話になった黒瀬さんに、ありがとうございましたその一。

そして、この本のタイトル「そして生活はつづく」は、松尾さんが作・演出した舞台『母を逃がす』の中のセリフから引用しています。

このタイトルを快諾してくれた松尾さんに、ありがとうございましたその二。

漫画を描いてくれた小田扉さん。『団地ともお』や『こさめちゃん』などの名作たちは、本がくしゃくしゃになるほど読みました。そんな小田さんの初めての原作モノを恐れ多くも申し込んだら、快く引き受けてもらえました。

昔のばかな私を描いてくれた小田さんに、ありがとうございましたその三。

素晴らしく丁寧な装幀・デザインをしていただいたクラフト・エヴィング商會のお二人。連載を始めた頃、真っ先に「おもしろいです」とのメールをくださり、それはもう多大な勇気をいただきました。どんなに的確な批評の言葉より、「おもしろい」の一言のほうが励まされるし、やる気も出るものです。

吉田篤弘さん、吉田浩美さんのお二人に、ありがとうございましたその四。

サケロックの仕事でいつも苦楽を共にしているデザイナー、大原大次郎さん。彼の字には人を一発で魅了する力があります。タイトルデザインを二人で打ち合わせしていたときに、読み始めの位置を変えるとこの本の裏タイトルが出てくるという、くだらない大発見をしてくれました。

題字を描いてくれた大原さんに、ありがとうございましたその五。

そしてもう一度。

この本を買って読んでくれたみなさまに、ありがとうございました。

さて、御礼はこのくらいにして。

第一回を書き始めてから、もう一年が経ってしまいました。

その間に『あいのり』の放送は終了し、マイケル・ジャクソンは亡くなりました。

文芸PR誌『ウフ．』で始めたこの連載は、開始直後に休刊が決定するといういきなりの不幸に見舞われ、しかし粘り強い黒瀬さんの編集者魂のおかげで一号に二回分載せるという荒業を実現し、こうしてなんとか一冊の書籍としてまとめることができました。書き下ろしの部分も大幅に増やし、漫画まで入れて、個人的にものすごく思い入れのある本です。

とかなんとか言いつつも裏タイトルが「くそして生活はつづく」ですからね。

なんてったって「くそ」ですから。

思い入れがあるったって、そんなキレイなものじゃありません。汚さで言ったら富士山の三合目くらいの汚さです。

「人の表現とは、庭に置いてあるホースのようなものだ」

と、誰かが言いました。誰が言ったのかは忘れました。

どんな人でも、最初は茶色く泥のまじった水が出るのだと。そしてしばらく出しているうちに少しずつ透明になっていき、最後にはきれいな水が出る。その考えでいくと、この私の処女本はもう真っ茶色なわけです。人間としての泥、いやさ「くそ」が出まくりなのです。

しかし、だからこそ思い入れがあるのかもしれません。

このまま書く仕事を続けていって、きれいで透明なものが出せるようになったら、思い入れなんてこれっぽっちもなくなってしまうような気もします。

できれば一生、茶色い水を流していたい。

なんてったって、「くそして生活はつづく」のですから。

二〇〇九年　八月

星野源

文庫版あとがき

文庫化です。やったぜ！

なんでかわからないけど、昔から「文庫化」に憧れていました。いい響きですよね文庫化って……。に、人気がないと出せないんでしょう？　わたくしそう聞いているでございますよ。単行本発売から三年が文庫化の基本タイミングらしい。だから今年ドキドキしてたのよ。お話こなかったらどうしようかと。でもこうして出せたってことは人気があったということかい？　そうだったら嬉しい。買ってくれてありがとう。

『そして生活はつづく』が出て早三年。僕の状況もすっかり変わりました。

まず、クレジットカード作ったよね。

いやー超便利っすねクレカ！　なんでも買えちゃうよねクレカ！

え？　携帯電話の料金はどうなのって？

口座引き落としに決まってるでしょ！

いちいちコンビニで払うなんて、ダメ人間のすることDAYONE！　インターネットで買い物もできますよ！　便利最高！　フー！

裏切りやがったな！　と思うなかれ。この本は自分のダメな部分とかつまらない日常をなるべくおもしろく解釈するっていうのがテーマなので、ともするとそういったダメ人間エピソードを「肯定している」ように感じるかもしれないけど、自分で「このままでいいや」と思っていた訳ではもちろんなく、こんな自分を変えたかったことには変わりはない。ダメなものはダメ、なんです。

「なにげない日常の中に素晴らしいものがある」どや顔でそんなことを言う人は苦手です。「なにげない日常」の中には「なにげない日常」しかない。素晴らしいものなんてない。その中から素晴らしさ、おもしろさを見いだすには、努力と根性がいります。黙ってても日常はおもしろくなってはくれない。見つめ直し、向き合って、物事を拡大し新しい解釈を加えて日常を改めて制作していかなきゃならない。毎日をおもしろくするのは自分自身だし、それをやるには必死にならなきゃ何の意味もない。

つまり、一生懸命生きなきゃ毎日はおもしろくならないってことだ。

この本を書いた頃は、そのシンプルな結論までたどり着けなかったけど、執筆中やっていたことは「物事を拡大して日常を改めて制作する作業」そのものだったんじゃないかなと思います。

文庫化してくれた編集の馬場さん、素晴らしい装丁してくれた大久保さん、素敵なイラストを描いてくれた北村さん、マンガ再録を快諾してくれた小田さん、お忙しい中対談してくれたきたろうさん、そして色々協力してくれた単行本時の編集だった黒瀬さん、本当にありがとうございました。

この本があなたの家のトイレに常駐することを願って。

だって、ねえ。くそして生活はつづくからね。

二〇一二年　十一月

星野　源

初出
料金支払いはつづく　『ウフ.』二〇〇九年一月号／生活はつづく　『ウフ.』二〇〇九年二月号
連載はつづく　『ウフ.』二〇〇九年二月号／子育てはつづく　『ウフ.』二〇〇九年三月号
貧乏ゆすりはつづく　『ウフ.』二〇〇九年三月号／箸選びはつづく　『ウフ.』二〇〇九年四月号
部屋探しはつづく　『ウフ.』二〇〇九年四月号／ビシャビシャはつづく　『ウフ.』二〇〇九年五月号
ばかはつづく　『ウフ.』二〇〇九年五月号／はらいたはつづく　書き下ろし
おじいちゃんはつづく　書き下ろし／口内炎はつづく　書き下ろし
舞台はつづく　書き下ろし／眼鏡はつづく　書き下ろし
ほんとうにあった鼠シリーズ「はたち」　書き下ろし　（漫画…小田扉）
ひとりはつづく　書き下ろし

単行本
二〇〇九年九月　マガジンハウス刊

文春文庫

そして生活《せいかつ》はつづく

定価はカバーに表示してあります

2013年1月10日　第1刷
2013年1月25日　第2刷

著　者　星《ほし》野《の》　源《げん》
発行者　羽鳥好之
発行所　株式会社　文藝春秋

東京都千代田区紀尾井町 3-23　〒102-8008
TEL 03・3265・1211
文藝春秋ホームページ　http://www.bunshun.co.jp

落丁、乱丁本は、お手数ですが小社製作部宛お送り下さい。送料小社負担でお取替致します。

印刷・図書印刷　製本・加藤製本

Printed in Japan
ISBN978-4-16-783838-6

文春文庫　最新刊

下流の宴　林真理子
主婦・由美子の悩みは、息子が連れてきた下品な娘。ベストセラー待望の文庫化

楚漢名臣列伝　宮城谷昌光
秦の始皇帝の死後覇を競う楚の項羽と漢の劉邦。乱世に活躍した異才十人

今日を刻む時計　宇江佐真理
長男の伊与太に加え、女の子も授かった伊三次とお文。人気シリーズ新章

真綿荘の住人たち　島本理生
レトロな下宿で青春と恋の始まり、のはずが……一つ屋根の下の暖かい物語

ボーダー ヒート アイランドⅣ　垣根涼介
東大生になったカオルは「雅」を騙る連中の存在を知り、アキに接触するが

世界の果て　中村文則
奇妙な状況におかれた、どこか「まともでない」人たち。著者初の短編集

秋山久蔵御用控
花始末　藤井邦夫
同心が町中ですれ違いざまに殺された。久蔵は「始末屋」の仕業とにらむ

江戸の仇《かたき》 長崎奉行所秘録 伊立重蔵事件帖　指方恭一郎
開港以来初の「武芸仕合」が始まった。腕自慢たちに混じって現れたのは

窓の外は向日葵の畑　樋口有介
東京下町の学園で謎の失踪事件。デビュー25周年、原点回帰の青春ミステリ傑作

路地裏ビルヂング　三羽省吾
変な店子揃いの辻堂ビルヂングに訪れる大切なひととき。ゆるくてほんわか短篇集

ノーバディノウズ　本城雅人
東洋系大リーガーの隠された過去。サムライジャパン野球文学賞大賞受賞作

茜色の空 哲人政治家・大平正芳の生涯　辻井喬
再評価の機運が高まる元総理の哲学と権力闘争を描いた長篇傑作小説

狂言サイボーグ　野村萬斎
「胸で見る」極意から「背中」の重要性まで、身体文化の深淵に光をあてた名著

天皇と東大Ⅲ 特攻と玉砕　立花隆
軍部の言論統制が強まる中で勃発した二・二六事件。日本はテロの時代へ

日本よ、「歴史力」を磨け 「現代史」の呪縛を解く　櫻井よしこ編
「従軍慰安婦」「南京大虐殺」などを巡る誤った歴史観を、徹底論破した！

あまりにロシア的な。　亀山郁夫
国家崩壊後のロシアで芸術・文化と向き合う日々。異色の体験記！

そして生活はつづく　星野源
つまらない日常をおもしろがろう！　俳優・音楽家の著者による初エッセイ

老後の真実 不安なく暮らすための新しい常識　文藝春秋編
お金、健康、終の棲家。今後の不安に対処する「新常識」を専門家が指南

主食を抜けば糖尿病は良くなる！実践編 糖質制限食の応用法　江部康二
大反響を巻き起こした前著の実践編。ダイエットにも絶大な効果あり

1922　S・キング　横山啓明・中川聖訳
妻を殺した男を追い詰めるものとは。巨匠が描く、真っ黒な恐怖の物語二編